KALMUS VOCAL SERIES

JOHANN SEBASTIAN
BACH

389
CHORAL MELODIES
(CHORAL-GESÄNGE)

For mixed chorus

EDWIN F. KALMUS
PUBLISHER OF MUSIC
NEW YORK, N.Y.

TEXT OF FIRST LINES

1. Ach bleib bei uns, Herr Jesu Christ. (Bach-Ausgabe Bd. 39, Choräle Nº 1.)

Etwas geänderter Alt eines Tonsatzes von S. Calvisius 1594.

Sopran. Alt.

Ach bleib bei uns, Herr Je_su Christ, weil es nun A _ _ bend wor_den ist; dein göttlich Wort, das hel_le Licht, lass ja bei uns_ aus_lö_schen nicht!

Tenor. Bass.

(9 Strophen.)

Nicolaus Selneccer 1579.

2. Ach Gott, erhör' mein Seufzen! (B. A. 89. Nº 2.)

Praxis pietatis, Frankfurt 1662.

Ach Gott, er_hör' mein Seuf_zen und Weh_kla _ gen, lass mich in mei_ner Noth nicht gar ver_za _ gen, du weisst mein'n Schmerz, er_kennst mein Herz, hast du mir's auf_er_legt, so hilf mir's tra _ gen!

(8 Str.)

Jac. Peter Schechs. 1648.

EDWIN F. KALMUS
PUBLISHER OF MUSIC
HUNTINGTON STATION, L. I., N. Y.

3. Ach Gott und Herr. (B. A. 39, № 3.)

As hymnodus sacer, Leipzig 1625.

Ach Gott und Herr, wie gross und schwer sind mein' be-gang-ne

Sun-den! Da ist Niemand, der hel-fen kann, in die-ser Welt zu fin-den. (6 Str.)

Martin Rutilius 1604.

4. Ach Gott und Herr. (Cantate № 48. Ich elender Mensch. B. A. 10. S. 288.)

As hymnodus sacer, Leipzig 1625.

Soll's ja so sein, dass Straf' und Pein auf Sünden fol-gen müs-sen: so

Cont.

fahr hier fort und schone dort, und lass mich hier wohl bü-ssen!

6 Str. (4. Strophe des Liedes: Ach Gott und Herr.)

M. Rutilius 1604.

5. Ach Gott, vom Himmel sieh' darein.

(Cant. 153. Schau, lieber Gott, wie meine Feind' B. A. 32, 43.)

Erfurter Enchiridion 1524.

Schau', lieber Gott, wie mei-ne Feind', da-mit ich stets muss käm-pfen,

so li-stig und so mächtig seind, dass sie mich leichtlich däm-pfen!

Herr, wo mich dei - ne Gnad' nicht hält, so kann der Teu - fel,

Fleisch und Welt mich leicht in Un - glück stür - - - zen.

(10 Str.)

Dav. Denicke 1661.

6. Ach Gott, vom Himmel sieh' darein.

(Cant. 77. Du sollst Gott, deinen Herren, lieben. B. A. 18, 254.)

Erfurter Enchiridion 1524.

*) Du stellst, mein Je - su, sel - ber dich zum Vor - bild wah - rer Lie -

be: gieb mir auch Gnad' und Kraft, dass ich Gott und den

Näch - sten lie - - be; dass ich bei Al - lem, wo ich kann,

stets lieb' und hel - fe je - der - mann nach dei - nem Wort und Wei - se.

*) In der B. A. fehlt diesem Choral der Text. Die obige Strophe ist der Bach'schen Originalpartitur von Zelter aus einem unbekannten Liede untergelegt worden.

4

7. Ach Gott, vom Himmel sieh' darein.

(Cant. 2. Ach Gott, vom Himmel sieh' darein. B. A. 1, 72.)

Erfurter Enchiridion 1524.

1. Ach Gott, vom Himmel sieh da_rein und lass dich dess er_bar men,
wie we_nig sind der Heil'gen dein, ver_las_sen sind wir Ar_men:
6. Das wollst du Gott be_wah_ren rein vor die_sem arg'n Ge_schlech_te,
und lass uns dir be_foh_len sein, dass sich's in uns nicht flech_te,

dein Wort man lässt nicht ha_ben wahr, der Glaub' ist auch ver_
der gott_los' Hauf' sich um_her find't, wo sol_che lo_se

lo_schen gar bei al_len Men_schen kin___dern.
Leu_te sind in dei_nem Volk er_ha___ben.

6 Str. (In der B. A. nur die 6. Str.)

Martin Luther 1524.

8. Ach Gott, wie manches Herzeleid.

(Herr Jesu Christ, mein's Lebens Licht.)

(Cant. 3. Ach Gott, wie manches Herzeleid. B. A. 1, 94.)

As hymnodus sacer, Leipzig 1625.
Jos. Clauder 1630.

1. Ach Gott, wie manches Her_ze_leid be_geg_net mir zu die_ser Zeit. Der
18. Er_halt' mein Herz im Glauben rein, so leb' und sterb' ich dir al_lein. Je_

schma_le Weg ist trüb_sal_voll, den ich zum Him_mel wan_dern soll.
su, mein Trost, hör' mein Be_gier: o mein Hei_land, wär' ich bei dir!

18 Str. (In der B. A. nur die 18. Str.)

Mart. Moller ? 1590.

9. Ach Gott, wie manches Herzeleid.
(Herr Jesu Christ, mein's Lebens Licht.)
(Cant. 153. Schau lieber Gott! B. A. 32, 58.)

As hymnodus sacer, Leipzig 1625.
J. Clauder 1630.

1. Drum will ich, weil ich le - be noch, das Kreuz dir fröh-lich tra-gen nach;
2. Hilf mir mein' Sach' recht grei-fen an, dass ich mein'n Lauf voll-en-den kann,
3. Er-halt' mein Herz im Glau-ben rein, so leb' und sterb' ich dir al - - lein;

mein Gott mach' mich dar - zu be - reit, es dient zum Be - sten al - le - zeit!
hilf mir auch zwin-gen Fleisch und Blut, für Sünd und Schan-den mich be - hüt'!
Je - su, mein Trost, hör' mein Be - gier, o mein Hei - land, wär' ich bei dir!

18 Str. (Str. 16-18 des Liedes: Ach Gott, wie manches Herzeleid.)

Martin Moller 1587.

10. Ach, was soll ich Sünder machen. (B. A. 39. № 7.)

Joh. Flitner, 1661.
(nach einer weltlichen Melodie)

Ach, was soll ich Sün-der ma-chen? ach was soll ich fan-gen an,

mein Ge - wis - sen klagt mich an, es be - gin - net auf - zu - wa-chen;

dies ist mei - ne Zu - ver - sicht, mei-nen Je - sum lass' ich nicht.

(7 Str.)

Joh. Flitner 1661.

11. Ach wie flüchtig, ach wie nichtig. (Cant. 26. Ach wie flüchtig B. A. 5 I. 216.)

Michael Franck 1652.

1. Ach wie flüchtig, ach wie nichtig ist der Men-schen Le-ben!
13. Ach wie flüchtig, ach wie nichtig sind der Men-schen Sa-chen!

Wie ein Ne-bel bald ent-ste-het und auch wie-der
Al-les, Al-les, was wir se-hen, das muss fal-len

bald ver-ge-het, so ist un-ser Le-ben se-het.
und ver-ge-hen; wer Gott fürcht't, wird e-wig ste-hen.

13 Str. (In der B. A. nur die 13. Str.)

Mich. Franck 1652.

12. Allein Gott in der Höh' sei Ehr'. (B. A. 39. № 8.)

Valentin Schumannsches G. B. 1539 (1526).

Al-lein Gott in der Höh' sei Ehr' und Dank für sei-ne Gna-de,
da-rum, dass nun und nimmermehr uns rüh-ren kann kein Scha-de!

Ein Wohl-ge-fall'n Gott an uns hat, nun ist gross Fried ohn'

Un - ter - lass, all' Fehd' hat nun ein En _ _ de.

(4. Str.)

Nic. Decius 1526.

13. Allein Gott in der Höh' sei Ehr'.
(Cant. 104. Du Hirte Israel, höre. B. A. 23, 116.)

Nic. Decius 1526.
Val. Schumannsches G. B. 1539.

Der Herr ist mein ge _ treu _ er Hirt, dem ich mich ganz ver _ trau _ e;
Zur Weid' er mich, sein Schäflein, führt, auf schö _ ner, grü _ ner Au _ e;

zum fri _ schen Was _ ser leit't er mich, mein' Seel' zu la _ ben

Taille

kräf _ tig _ _ lich durch's sel' _ ge Wort der Gna _ den.

(3. Str.)

Cornelius Becker 1602.

In der Ausgabe der
Choräle vom J. 1785
steht der Schluss un-
ter No. 125 so:

14. Allein Gott in der Höh' sei Ehr'.

(Cant. 112. Der Herr ist mein getreuer Hirt. B. A. 24, 48.)

Nic. Decius 1526.
Val. Schumannsches G. B. 1539.

Hörner.

Ob.

1. Der Herr ist mein ge _ treu _ er Hirt, hält mich in sei _ ner Gü _ _ te,
da _ rinn mir gar nichts mangeln wird, ir _ gend an ei _ nem Gu _ _ te

5. Gu _ tes und die Barm _ her _ zig _ keit fol _ gen mir nach im Le _ _ ben,
und ich werd'blei _ ben al _ le _ zeit im Haus des Her _ ren e _ _ ben:

Er wei _ det mich ohn' Un _ ter _ lass, da _ rauf wächst das wohl _
auf Erd' in christ _ li _ cher Ge _ mein', und nach dem Tod da

schme _ ckend Gras sei _ nes heil _ sa _ men Wor _ _ tes.
werd' ich sein bei Chri _ sto, mei _ nem Her _ _ ren.

5 Str. (In der B. A. nur die 5. Str.)

Wolfgang Musculus? 1531 u. 1533.

15. Allein zu dir, Herr Jesu Christ. (B. A. 39, No 9.)

Val. Babst. G. B. 1545.

Al _ lein zu dir, Herr Je _ _ _ su Christ, mein
Ich weiss, dass du mein Trö _ _ _ ster bist, kein

Hoff _ nung steht auf Er _ _ _ _ _ _ _ _ den.
Trost mag mir sonst wer _ _ _ _ _ _ _ _ den.

Von An _ be _ ginn ist Nichts er _ kcr'n, auf Er _ den ist kein Mensch ge _

bor'n, der mir aus Nö _ then hel _ fen kann, ich ruf'

_ dich an, zu dem ich _ mein Ver _ trau _ en han.

(1 Str.)

Joh. Schneesing 1542.

16. Allein zu dir, Herr Jesu Christ.
(Cant. 33. Allein zu dir, Herr Jesu Christ. B. A. 7, 114.)

Val. Babst. G. B. 1545.

Cont.

Ehr' sei Gott in dem höch _ _ sten Thron, dem Va _ ter al _ _
und Je _ sum Christ, sein'm lieb _ _ sten Sohn, der uns all _ zeit

_ _ ler Gü _ te,
be _ hü _ te, und Gott, dem hei _ li _ gen Gei _ ste, der

uns sein' Hülf' all _ zeit lei _ ste, da _ mit wir ihm ge _ fäl _ lig sein, hier

in die _ ser Zeit und fol _ gends zu der E _ _ wig _ keit.

4 Str. (Str. 4 des Liedes: Allein zu dir H. J. Ch.)

Joh. Schneesing 1542.

17. Alle Menschen müssen sterben. (B. A. 39, № 10.)

Joh. Hintze 1678.

Al _ le Menschen müs _ sen sterben, al _ les Fleisch ver _ geht wie Heu,
was da le _ bet muss ver _ der _ ben, soll' es an _ ders wer _ den neu. _

Die ser Leib der muss ver we sen, wenn er e wig soll ge ne sen

der so gro ssen Herr lich keit, die den From men ist be reit'. (7 Str.)

Johann Georg Albinus 1652.
(Joh. Rosenmüller?)

18. Alle Menschen müssen sterben.

(Cant. 162 Ach, ich sehe, jetzt da ich zur Hochzeit gehe. B. A. 33, 46.)

Der Mel. „Jesu, der du meine Seele" nachgebildet.
(Umbildung von Bach?)

Ach, ich ha be schon er bli cket al le die se Herr lich keit!
Jetzund werd ich schön ge schmücket mit dem wei ssen Himmelskleid;

mit der güld nen Eh ren kro ne steh ich da vor Got tes Thro ne,

schau e sol che Freu de an, die kein En de neh men kann.

7 Str. (Str. 7 des Liedes: Alle Menschen müssen sterben.)

Johann Georg Albinus 1652.
(Joh. Rosenmüller?)

19. Alles ist an Gottes Segen. (B. A. 39. № 11.)

Nach J.B.Königs Choralb. 1738, umgebildet.

Alles ist an Got_tes Se_gen und an sei_ner Gnad' ge_le_gen

ü_ber al_les Geld und Gut. Wer auf Gott sein' Hoff_nung setzet,

der be_hält ganz un_ver_le_tzet ei_nen frei_en Hel_den_muth.

(6 Str.)

1676.

20. Als der gütige Gott. (B. A. 39. № 12.)

Mich.Weisse 1531. Joh.Crüger 1640.

1. Als der gü_ti_ge Gott, voll_en_den wollt' sein Werk, sand er sein' En_gel
2. in die Stadt Na_za_reth, da er ein Jung_frau hatt', die Ma_ri_a ge_

schnell, des. Na_me Ga_bri_el,_____ ins ga_li_lä_isch Land,
nannt, Jo_seph nie hatt' er _ kannt,_____ dem sie ver_trau_et war.

(12 Str.) In der B. A. nur die 1. Str.

M. Weisse 1531.

21. Als Jesus Christus in der Nacht. (B.A. 39. N° 13.)

Joh. Crüger 1649.

1. Als Je - sus Christus in der Nacht, da - rin er ward ver - ra - then, auf
2. Da nahm er in die Hand das Brod, und brach's mit sei - nen Fin - gern, sah
3. Nehmt hin und esst, das ist mein Leib, der für euch wird ge - ge - ben, und

un - ser Heil war ganz be - dacht, das - selb' uns zu er - stat - ten.
auf gen Him - mel, dank - te Gott, und sprach zu sei - nen Jün - gern:
den - ket, dass ich eu - er bleib' im Tod und auch im Le - ben.

(9 Str.) In der B.A. nur die 1. Str.

Joh. Heermann 1636.

22. Als vierzig Tag' nach Ostern war'n. (B.A. 39. N° 14.)
(Erschienen ist der herrlich Tag.)

Nic. Herman. 1560
(sehr umgebildet.)

Als vierzig Tag' nach O - stern war'n und Chri - stus wollt' gen

Him - mel fahr'n, b'schied er sein' Jün - ger auf ein Berg, auf ein Berg, voll

en - det da sein Amt und Werk. Hal - le - lu - ja!

(14 Str.)

Nic. Herman. 1560.

23. An Wasserflüssen Babylon. (B. A. 39. № 15.)

Wolfg. Dachstein. 1525.

Ein Lämmlein geht und trägt die Schuld der Welt und ih - rer Kin - der;
es geht und bü - sset in Ge - duld die Sün - den al - ler Sün - der.

An Was-ser-flüs-sen Ba - by - lon, da sa-ssen wir mit Schmer - zen,
als wir ge-dach-ten an Zi - on, da wein-ten wir von Her - zen.

Es geht da - hin, wird matt und krank, er - giebt sich auf die Wür - ge-bank, ver -

Wir hin-gen auf mit schwerem Muth die Har-fen und die Or - geln gut an

zeiht sich al - ler Freu - den, es nim-met an Schmach, Hohn und Spott, Angst,

ih - re Bäum' der Wei - den, die drin-nen sind in ih - rem Land; da

Wun-den, Striemen, Kreuz und Tod, und spricht: Ich will___ gern lei - - den.

(10 Str.) P. Gerhardt 1653.

mussten wir viel Schmach und Schand'täg-lich von ih - - nen lei - - den.

(5 Str.) Wolfg. Dachstein 1525.

ih - nen lei - - - den.

24. Auf, auf, mein Herz, und du mein ganzer Sinn.
(B.A. 39. Nᵒ 16.)

Stenger 1663.
(J. Stadens Melodey) umgebildet.
Erfurter G. B. 1663.

Auf, auf, mein Herz, und du, mein gan _ zer Sinn, wirf Al _ les das, was Welt ist, von dir hin; im Fall du willst, was gött _ lich ist, er _ lan _ gen, so lass den Leib, in dem du bist ge _ fan _ gen.

(12 Str.)

Martin Opitz. 1624.

25. Auf meinen lieben Gott. (Cant.188. Ich habe meine Zuversicht. B.A.37, 212.)

J. H. Schein 1627.

Auf mei_nen lie_ben Gott trau ich in Angst und Noth. Der

kann mich all _ zeit ret _ ten aus Trüb_sal, Angst und Nö_ _ _ then; mein

Un_glück kann er wen _ _ _ den: steht All's in sei_nen Hän _ den.
(5 Str.)

Siegmund Weingärtner. 1609.

26. Auf meinen lieben Gott. (Cant.89. Was soll ich aus dir machen, Ephraim? B.A.20 I,194.)

J. H. Schein 1627.

1. Wo soll ich flie_hen hin, weil ich be_schwe_ret bin, mit
7. Mir man_gelt zwar sehr viel, doch, was ich ha_ben will, ist

Cont.

vie_len, gro_ssen Sün _ den? Wo kann ich Ret _ tung fin _ den? Wann
Al_les, mir zu gu_te, er_langt mit dei_nem Blu_ _ te, da_

al - le Welt her kä - - me, mein Angst sie nicht weg - neh - - me.
mit ich ü - ber - win - - de Tod, Teu - fel, Höll' und Sün - - de.

11 Str. (In der B.A. nur die 7. Str.)

Johann Heermann. 1630.

27. Auf meinen lieben Gott. (Cant. 136, Erforsche mich Gott. B. A. 28, 164.)

J. H. Schein 1627.

Violine I.

Dein Blut, der ed - le Saft, hat sol - che Stärk' und Kraft, dass

Cont.

auch ein Tröpflein klei - - ne die gan - ze Welt kann rei - - ne, ja.

gar aus Teu - fels Ra - - chen frei, los und le - dig ma - - chen.

11 Str. (Str. 9 d. Liedes: Wo soll ich fliehen hin.)

Johann Heermann. 1630.

28. Auf meinen lieben Gott. (Cant. 5, Wo soll ich fliehen hin. B. A. 1, 150.)

J. H. Schein 1627.

Führ' auch mein Herz und Sinn durch dei_nen Geist da_hin, dass ich mög' al_les mei_den, was mich und dich kann schei_den, und ich an dei_nem Lei_be ein Glied_mass e_wig blei_be.

11 Str. (Str. 11 des Liedes: Wo soll ich fliehen hin.)

Joh. Heermann 1630.

29. Auf meinen lieben Gott. (Cant. 148, Bringet dem Herrn Ehre seines Namens. B. A. 30, 260.)

Joh. H. Schein 1627.

Führ' auch mein Herz und Sinn durch dei_nen Geist da_hin, dass ich mög' al_les mei_den, was mich und dich kann schei_den, und

Joh. Heermann 1630.

30. Aus meines Herzens Grunde. (B. A. 39, № 17.)

Dav. Wolder 1598.

Zuerst 1592.

31. Aus tiefer Noth schrei ich zu dir. (Cant. 38, Aus tiefer Noth schrei ich zu dir. B.A.7,300.)

Martin Luther 1524.

1. Aus tie_fer Noth schrei ich zu dir, Herr Gott er_höhr' mein Ru_fen!
Dein gnä_dig Ohr'n neig' her zu mir und mei_ner Bitt sie öff_ne.
5. Ob bei uns ist der Sün_den viel, bei Gott ist viel mehr Gna_de,
sein' Hand zu hel_fen hat kein Ziel, wie gross auch sei der Scha_de.

Denn so du willst das se_hen an, was Sünd und Un_recht
Er ist al_lein der gu_te Hirt, der Is_ra_el er_

ist ge_than, wer kann·Herr vor dir blei_____ben.
lö_sen wird aus sei_nen Sün_den al____len.

5 Str. (In der B. A. nur die 5.Str.)

Martin Luther 1524.

32. Befiehl du deine Wege. (B.A.39, N° 20.)

Barth. Gesius 1603.

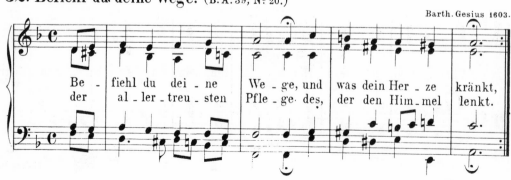

Be fiehl du dei_ne We_ge, und was dein Her_ze kränkt,
der al_ler_treu_sten Pfle_ge des, der den Him_mel lenkt.

Der Wol ken, Luft und Win _ den gibt We _ ge, Lauf und Bahn, der

wird auch We _ ge fin _ den, die dein Fuss ge _ hen kann.
(12 Str.)

P. Gerhardt 1656.

33. **Christ, der du bist der helle Tag.** (B. A. 39, No 21.)
Christe, qui lux es et dies.

G. B. der Böhm. Brüder 1566.

Christ, der du bist der hel _ le Tag, vor dir die Nacht nicht

blei _ ben mag; du leuch_test uns vom Va _ ter her und

bist des Lich_tes Pre _ di _ ger, und bist des Lich_tes Pre _ di _ ger.
(7 Str.)

Erasmus Alberus 1556.

34. Christe, der du bist Tag und Licht. (B. A. 39, № 22.)

Jos. Klug G. B. 1535.

1. Chri ste, der du bist Tag und Licht, vor
2. Wir bit ten dein' gött li che Kraft, be -

dir ist, Herr, ver bor gen nichts; du
hüt' uns, Herr, in die ser Nacht; be -

vä ter li ches Lich tes Glanz, lehr'
wahr uns, Herr, vor al lem Leid, Gott

uns den Weg der Wahr heit ganz.
Va ter der Barm her zig keit.

7 Str. (In der B. A. nur die 1. Str.)

Wolfg. Meuslin 1526.

35. Christe, du Beistand deiner Kreuzgemeinde.

(B. A. 39, No 23.)

Matthäus Apelles von Löwenstern 1644.

Chri-ste, du Bei-stand dei-ner Kreuz-ge-mei-ne, ei-le, mit Hülf' und Ret-tung uns er-schei-ne; steu-re den Fein-den: ih-re Blut-ge-tich-te ma-che zu nich-te, ma-che zu nich-te. (4 Str.)

M. A. von Löwenstern 1644.

36. Christ ist erstanden. (B. A. 39, N°24.)

Jos. Klug G. B. 1535.

Christ ist er - stan - den von der Mar - ter al -

le: des soll'n wir al - le froh sein; Chri -

stus will un - ser Trost sein. Ky - ri - e - leis.

Wär' er nicht er - stan - den, so wär' die Welt ver - gan - gen: seit

dass er nun er - stan-den ist, so lo - ben wir den Her - ren Christ,

ben wir den

Ky_rie e_leis! Al_le_lu_ja, al_le_lu_ja, al_le_lu_ja! Dess soll'n wir al_le froh sein; Chri_stus will un_ser Trost sein. Ky_rie e_leis!

Schon um 1200 bekannt.

37. Christ ist erstanden. (Cant. 66, Erfreut euch, ihr Herzen. B. A. 16, 214.)

3ter Satz.

Jos. Klugsches G. B. 1535.

Al_le_lu_ja, Al_le_lu_ja, Al_le_lu_ja! Des solln wir Al_le froh sein, Chri_stus will unser Trost sein. Ky_rie e e_leis.

Um 1200 bekannt.

38. Christ lag in Todesbanden. (B. A. 39, № 25.)

Joh. Walter G. B. 1524.

Christ lag in Todes ban den für un ser Sünd' ge ge ben,
der ist wie der er stan den und hat uns bracht das Le ben.

Dess wir sol len fröh lich sein, Gott lo ben und ihm dank bar sein, und

sin gen Hal le lu ja, Hal le lu ja! (7 Str.)

M. Luther 1524.

39. Christ lag in Todesbanden. (B. A. 39, № 26.)

Joh. Walter G. B. 1524.

Christ lag in To des ban den für un ser Sünd' ge ge ben,
der ist wie der er stan den und hat uns bracht das Le ben.

und ihm dank bar

Dess wir sol len fröh lich sein, Gott lo ben und ihm dank bar sein, und

Halle - lu - ja, Halle - lu - - ja.
sin - gen Halle - le - lu - ja, Halle - le - lu - ja.
Hal - le - lu - ja, Halle - le - lu - ja. (7 Str.)
le - lu - ja, Hal - le - lu - ja.

M. Luther 1524.

40. Christ lag in Todesbanden.
(Cant. 158. Der Friede sei mit dir. B.A. 32, 154.)

Joh. Walter 1524.

Hier ist das rech - te O - ster - lamm, da - von Gott hat ge - bo - ten,
das ist hoch an des Kreu - zes Stamm in hei - sser Lieb' ge - bra - ten:

des Blut zeichnet uns - re Thür, das hält der Glaub' dem To - de für, der

NB. Die obere Lesart nach der Ausgabe von 1786, die untere nach der B.A. Cant. 158.

Wür - ger kann uns nicht rüh - ren Hal - le - lu - ja.
7 Str. (Str. 5 des Liedes: Christ lag in Todesbanden.)
Hal - le - lu - ja.

M. Luther 1524.

41. Christ lag in Todesbanden.

(Cant. 4. Christ lag in Todesbanden. 1, 124.)

Joh. Walter G. B. 1524.

Wir es–sen und le–ben wohl im rech–ten O–ster–fla–den
Der al–te Sauer–teig nicht soll sein bei dem Wort der Gna–den,

Cont.

Chri–stus will die Ko–ste sein und spei–sen die Seel' al–lein, der

Glaub' will keins an dern le–ben. Hal le lu jah!

7 Str. (Str. 7 des Liedes: Christ lag in Todesbanden.)

M. Luther 1524.

42. Christum wir sollen loben schon.

(Cant. 121. Christum wir sollen loben schon. B. A. 26, 20.)

Erfurt 1524.

Lob, Ehr' und Dank sei dir ge–sagt, Christ ge–bor'n von

ge–bor'n

der rei–nen Magd, sammt Va–ter und dem heil'

von

in E -
- - - gen Geist von nun an bis in E - -
- - wig - keit
- - wig - keit, in E - - - wig - keit.
8 Str. (Str. 8 des Liedes: Christum wir sollen loben schon.)
wig - keit.

M. Luther 1524.

43. Christ, unser Herr, zum Jordan kam. (B. A. 39, № 27.)

Joh. Walter G. B. 1524.

Christ, un - ser Herr, zum Jor - dan kam nach sei - nes Va - ters Wil - len;
von Sankt Johann's die Tau - fe nahm, sein Werk und Amt zu 'rfül - len;

da wollt' er stiften uns ein Bad, zu waschen uns von Sün - den, er - säu - fen auch den

bit - tern Tod durch sein selbs Blut und Wun - den. Es galt ein neu - es Le - ben.
(7 Str.)

M. Luther 1541.

44. Christ, unser Herr, zum Jordan kam.

(Cant. 7. Christ, unser Herr, zum Jordan kam. B. A. 1, 210.)

Joh. Walter G. B. 1524.

Das Aug' al-lein das Was-ser sieht, wie Menschen Wasser gie-ssen:
der Glaub im Geist die Kraft ver steht des Blu-tes Je-su Chri-sti;

und ist vor ihm ein' ro-the Flut von Christi Blut ge-fär-bet, die al-len Schaden

heilet gut, von A-dam her ge-er-bet, auch von uns selbst be-gan-gen.

7 Str. (Str. 7 des Liedes: Christ unser Herr, zum Jordan kam.)

M. Luther 1541.

45. Christ, unser Herr, zum Jordan kam.

(Cant. 176. Es ist ein trotzig und verzagt Ding. B. A. 35, 198.)

Joh. Walter G. B. 1524.

1. Was al-le Weisheit in der Welt bei uns hier kaum kann
8. Auf dass wir al-so all-zu-gleich zur Him-mels-pfor-te

lal-len, das lässt Gott aus dem Himmels-zelt in al-le Welt er
drin-gen und der-mal-einst in dei-nem Reich ohn' al-les En-de·

schal _ len: dass er al _ lei _ ne Kö _ nig sei, hoch ü _ ber al _ le
sin _ gen: dass du al _ lei _ ne Kö _ nig seist, hoch ü _ ber al _ le

Göt — — ter, gross, mäch _ tig, freund _ lich, fromm und treu, der
Göt — — ter, Gott Va _ ter, Sohn und heil' _ ger Geist, der

From _ men Schutz und Ret — — ter, ein We _ sen, drei Per _ so — nen.
From _ men Schutz und Ret — — ter, ein We _ sen, drei Per _ so — nen.

8 Str. (In der B. A. nur die 8 Str.)

Paul Gerhardt 1656.

46. Christus, der ist mein Leben. (B. A. 39, N° 28.)

Melchior Vulpius 1609.

Chri _ stus, der ist mein Le — — ben und Ster _ ben mein Ge _

winn, dem thu' ich mich er _ ge _ ben, mit Freud' fahr' ich da _ hin.

(8 Str.)

Melchior Vulpius G. B. 1609.

47. Christus, der ist mein Leben. (B. A. 39, No 29.)

Melch. Vulpius 1609.

Christus, der ist mein Le — ben,
Ster — ben ist mein Ge — winn; dem thu' ich
mich er ge — ben, mit Freud' fahr' ich da — hin.
(8 Str.)

Melch. Vulpius G. B. 1609.

48. Christus, der uns selig macht. (B. A. 39, No 30.)

Mich. Weisse 1531.

Chri — stus, der uns se — lig macht, kein Bös's hat be — gan — gen,
der ward für uns in der Nacht als ein Dieb ge — fan — gen,

ge‿führt vor gott‿lo‿se Leut' und fälsch‿lich ver‿kla‿‿get, ver‿lacht,

ver‿höhnt, und ver‿speit, wie denn die Schrift sa‿‿get.
(8 Str.)

Mich. Weisse 1531.

49. Christus, der uns selig macht. (Joh. Passion. B. A. 12, I. 43.)

Mich. Weisse 1531.

Christus, der uns se‿lig macht, kein Bös's hat be‿gan‿gen, der ward für uns

in der Nacht als ein Dieb ge‿fan‿gen, geführt vor gott‿lo‿se Leut', und fälschlich ver-

kla‿get, ver‿lacht, ver‿höhnt und verspeit, wie denn die Schrift sa‿‿get.
(8 Str.)

Ob.

sa‿get.

sa‿get.

Mich. Weisse 1531.

84

50. Christus, der uns selig macht. (Joh. Passion. B. A. 12 I, 121.)

Mich. Weisse 1531.

O hilf, Chri_ste, Got_tes Sohn, durch dein bittres Lei_den, dass wir, dir stets un_terthan, all' Un_tugend mei_den, deinen Tod und sein' Ursach' fruchtbarlich be_den_ken, dafür, wie_wohl arm und schwach, dir Dank_o_pfer schen_ken.

8 Str. (Str. 8 des Liedes Christus, der uns selig macht.)

Mich. Weisse 1531.

51. Christus ist erstanden, hat überwunden. (B. A. 39, № 31.)

Mich. Weisse 1531.

Chri_stus ist er_stan_den, hat ü_ber_wun_den, Gnad' ist nun vor_han_den, Wahr_heit wird fun_den.

Da _ rum, lie _ ben Leu _ te, freut euch heu _ te, lo _ bet
eu _ ren Her _ ren, Je _ sum, den Kö _ nig der Eh _ ren.
(13 Str.)

Mich. Weisse 1531.

52. Da der Herr Christ zu Tische sass. (B. A. 39, Nº 32.) (Görlitz G. B. 1611.

Da der Herr Christ zu Tische sass, zu _letzt das O _ ster _ lämmlein ass. und
zu _ letzt das Oster _

wollt' von hin _ nen schei _ den, sein'n Jüngern er treu _ lich be _ fahl, dass

man all _ zeit ver _ künd' _ gen soll sein'n Tod und bit _ ter Lei _ den.
(29 Str.)

Nic. Herman 1559

53. Danket dem Herren, denn er ist sehr freundlich.

(B. A. 39. № 33.)

Tenormelodie eines
Senfl'schen Tonsatzes 1534.

Dan _ ket dem Her _ ren, denn er ist sehr freund _ lich, und

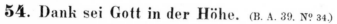

sei _ ne Güt' und Wahr _ heit blei _ bet e _ wig _ lich.

6 Str.

Joh. Horn 1544.

54. Dank sei Gott in der Höhe. (B. A. 39. № 34.)

Barth. Gesius 1605.

Dank sei Gott in der Hö _ he in die _ ser Mor _ gen _ stund',
durch den ich auf _ er _ ste _ he vom Schlaf frisch und ge _ sund.

Mich hat _ te zwar ge _ bun _ den mit Fin _ ster _ niss die Nacht, ich

hab' sie ü - ber - wun - den mit Gott, der mich be - wacht.

7 Str.

Joh. Mühlmann 1618.

55. Das alte Jahr vergangen ist. (B. A. 39. No 35.)

Joh. Steurlein 1588.

Das al - te Jahr ver - gan - gen ist, wir dan - ken dir, Herr

Je - su Christ, dass du uns in so gro - sser G'fahr be -

hü - tet hast lang' Zeit und Jahr; dass du uns in so

gro - sser G'fahr be - hü - tet hast lang Zeit und Jahr.

6 Str.

Joh. Steurlein ? 1588.

38

56. Das alte Jahr vergangen ist. (B. A. 39. № 36.)

Joh Steurlein 1588.

Das al _ te Jahr ver _ gan _ gen ist, wir dan _ ken dir, Herr

Je _ su Christ, dass du uns in so gro _ sser G'fahr be _ hü _ tet hast lang'

Zeit und Jahr, dass du uns in so gro _ sser G'fahr be _ hü _ tet hast lang' Zeit und Jahr.

6 Str.

Joh. Steurlein? 1588.

57. Das neugeborne Kindelein. (Cant. 122. Das neugeborne Kindelein. B. A. 26. 40.)

Melch. Vulpius 1609.

1. Das neu _ ge _ bor _ ne Kin _ de _ lein, das herz _ ge _ lieb _ te Je _ su _ lein,
4. Es bringt das rech _ te Ju _ bel _ jahr, was trau _ ern wir denn im _ mer _ dar?

Cont.

bringt a _ ber _ mal ein neu _ es Jahr der aus _ er _ wähl _ ten Chri _ stenschaar.
Frisch auf! itzt ist es Singens _ zeit, das Je _ su _ lein wend't al _ les Leid.

4 Str. (In der B. A. nur die 4. Str.)

Cyriacus Schneegass 1597.

58. Das walt' Gott Vater und Gott Sohn. (B. A. 39. № 37.)

Dan. Vetter. 1713.

Das walt' Gott Va-ter und Gott Sohn, Gott heil'ger Geist in's Himmels Thron. Man

dankt dir, eh' die Sonn' auf geht; wann's Licht anbricht, man vor dir steht.

11 Str.

Mart. Böhm. 1608.

59. Das walt' mein Gott. (B. A. 39. № 38.)

Gotha, Cantionale 1648. Vopelius. 1682.

1. Das walt' mein Gott Va-ter Sohn und heil'-ger Geist, der
2. All Tritt und Schritt Got-tes Nam'n, was ich fang an, theil

mich er-schaf-fen hat, mir Leib' und Seel' ge-ge-ben im
mir dein Hül-fe mit, und komm mir früh ent-ge-gen mit

Mut-ter-leib das Le-ben, ge-sund ohn' al-len Schad'.
Glück, Wohl-fahrt und Se-gen, mein Bitt' ver-sag' mir nicht.

8 Str. (In der B. A. nur die 1. Str.)

Bas. Förtsch.? 1613.

60. Den Vater dort oben. (B. A. 39. № 39.)

Mich. Weisse. 1531.

Den Va_ter dort o____ben wol_len wir nun lo____ben,

der uns als ein mil_der Gott gnä_dig_lich ge_spei_'set hat,

und Chri_stum sei____nen Sohn, durch wel_chen der

Se_gen kommt vom al____ler höch_sten Thron.

5 Str.

Mich. Weisse. 1531.

61. Der du bist drei in Einigkeit. (B. A. 39. № 40.)

J. Herm. Schein. 1627.

Der du bist drei in Ei_nigkeit, ein wah_rer Gott von E_wigkeit; die

Sonn' mit dem Tag von uns weicht, lass uns leuch _ ten dein gött_lich Licht.

3 Str.

M. Luther 1543.

62. Der Tag, der ist so freudenreich. (B. A. 39. No 41.)

J. Klug G. B. 1535.

Der Tag, der ist so freuden _ reich al _ ler Cre _ a _ tu _ re,
denn Got_tes Sohn vom Himmel _ reich ü _ ber die Na _ tu _ re

von ei _ ner Jung_frau ist ge_bor'n, Ma _ ri _ a du bist aus_er _ kor'n,

dass du Mut _ ter wä _ _ rest. Was ge _ schah so wun_der _ lich?

Got _ tes Sohn vom Him_mel _ reich der _ ist Mensch ge _ bo _ ren.

4 Str. (Deutsche Bearbeitung des alten
Weihnachtsliedes: Dies est laetitiae.)

63. Des heil'gen Geistes reiche Gnad'. (B. A. 39. No 42.)

J. Herm. Schein 1627.

1. Des heil'gen Gei — — stes rei — — che Gnad' die Her — zen der A — po — stel hat er — füllt mit sei — — ner Gü — — tig — keit, ge — schenkt der Spra — — — chen Un — ter — scheid.

6 Str. (Bearbeitung des Hymnus: Spiritus sancti gratia.)

64. Die Nacht ist kommen. (B. A. 39. No 43.)

G. B. der Böhm. Brüder 1566.
J. H. Schein 1627.

Die Nacht ist kom — men, drin wir ru — hen sol — len; Gott

walt zu From _ men nach sein'm Wohlge _ fal _ len, dass wir uns le _ _

gen, in sein'm G'leit und Se _ gen sein'n Will'n zu pfle _ gen.

5 Str.

Peter Herbert 1566.

65. Die Sonn' hat sich mit ihrem Glanz. (B. A. 39. № 44.)

Franz. Psalmen Genf 1542.

Die Sonn' hat sich mit ih _ rem Glanz ge _ wen _ _ det und,

was sie soll, auf die _ sen Tag voll _ en _ _ det; die dunkle Nacht dringt

al _ lent _ hal _ ben zu, bringt Menschen, Vieh und al _ le Welt zur Ruh'.

7 Str.

Josua Stegmann 1630?

66. Dies sind die heil'gen zehn Gebot. (B. A. 39. № 45.)

Erfurt 1524.

Dies sind die heil' gen zehn Ge _ bot', die uns gab un _ ser

Her _ re Gott durch Mo _ se, sei _ nen Die _ ner treu, hoch

auf dem Berg Si _ na _ i. Ky _ rie e _ leis'.

12. Str.

M. Luther 1524.

67. Dir, dir, Jehova, will ich singen. (B. A. 39. № 46.)

Joh. S. Bach 1725.

Dir, dir, Je _ ho _ va, will ich sin _ gen, denn wo ist
Dir will ich mei _ ne Lie _ der brin _ gen, ach, gib mir

doch ein sol _ cher Gott wie du? dass ich es thu' im Na _
dei _ nes Gei _ stes Kraft dar _ zu,

men Je_su Christ, so wie es dir durch ihn ge_fäl_lig ist.

Barth. Crasselius 1697

68. Du Friedefürst, Herr Jesu Christ.

(Cant. 67. Halt im Gedächtniss Jesum Christ. B. A. 16. 246.)

Barth. Gesius 1601.

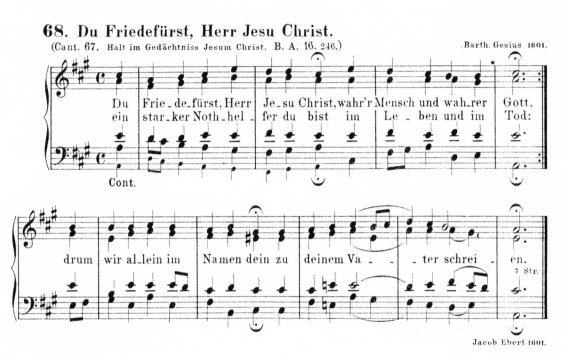

Du Frie_de_fürst, Herr Je_su Christ, wahr'r Mensch und wah_rer Gott,
ein star_ker Noth_hel_fer du bist im Le _ ben und im Tod:

drum wir al_lein im Namen dein zu deinem Va _ _ _ ter schrei _ en.

Jacob Ebert 1601.

69. Du Friedefürst, Herr Jesu Christ.

(Cant. 116. Du Friedefürst. B. A. 24. 158.)

Barth. Gesius 1601.

Er _ leucht' doch un _ sern Sinn und Herz durch den Geist dei_ner Gnad',
dass wir nicht trei_ben draus ein'n Scherz, der un _ ser Seelen schad.

O Je_su Christ, al _ lein du bist, der Solch's wohl kann aus_rich _ ten.
aus _ rich _ ten.

7 Str. (Str 7 des Liedes: Du Friedefürst.)

Jacob Ebert 1601.

70. Du grosser Schmerzensmann. (B. A. 39. № 47.)

M. Janus 1663.

1. Du grosser Schmerzens-mann, vom Va-ter so ge-schla-gen, Herr
Je-su, dir sei Dank für al-le dei-ne Pla-gen: für
dei-ne See-len-angst, für dei-ne Band' und Noth, für
dei-ne Gei-sse-lung, für dei-nen bit-tern Tod.

7 Str.

Adam Thebesius † 1652.

71. Du, o schönes Weltgebäude. (B. A. 39. № 48.)

Johann Crüger 1649.

Du, o schö-nes Weltge-bäu-de, magst ge-fal-len wem du willst,
dei-ne scheinbar-li-che Freu-de ist mit lau-ter Angst um-hüllt.

Denen, die den Him-mel has - - sen, will ich ih - re Welt-lust

las - - sen; mich verlangt nach dir al - lein, al-ler-schönster Je - su mein.

8 Str.

Johann Franck 1649.

72. Du, o schönes Weltgebäude.

(Cant 56. Ich will den Kreuzstab gerne tragen. B. A. 12 II. 104.)

Joh. Crüger 1649.

Komm, o Tod,du Schla-fes Bru - der, komm und füh - re mich nur fort;
lö - se meines Schiffleins Ru - der, brin-ge mich an si-chern Port.

Cont.

es mag, wer da will, dich scheu - - en,
du kannst mich viel-mehr er - freu - - en;

denn durch dich komm' ich hin - ein zu dem schön-sten Je - su-lein.

8 Str. (Str. 6 des Liedes: Du, o schönes Weltgebäude.)

Joh. Franck 1649.

73. Durch Adams Fall ist ganz verderbt.

Cant. 18, Gleich wie der Regen und Schnee. (B. A. 2, 252.)

Jos. Klug. G. B. 1535.

1. Durch A _ dams Fall ist ganz ver _ derbt menschlich' Na _ tur und We _ sen,
das _ selb' Gift ist auf uns ge _ erbt, dass wir nicht konnt'n ge _ ne _ sen
8. Ich bitt', o Herr, aus Her _ zens Grund, du wollst nicht von mir neh _ men
dein heil' _ ges Wort aus mei _ nem Mund; so wird mich nicht be _ schä _ men

ohn' Got _ tes Trost, der uns er _ löst hat von dem gro _ ssen Scha _ den, da
mein' Sünd' und Schuld; denn in dein' Huld setz' ich all mein Ver _ trau _ en. Wer

rin die Schlang' E _ van be _ zwang, Gott's Zorn auf sich zu la _ den.
sich nur fest da _ rauf ver _ lässt, der wird den Tod nicht schau _ en.

(In der B. A. nur die 8 Str.)   (9 Str.)

Lazarus Spengler. 1524.

74. Ein' feste Burg ist unser Gott. (B. A. 39, Nº 49.)

Jos. Klug. G. B. 1535.

Ein' fe _ ste Burg ist un _ ser Gott, ein' gu _ te Wehr und Waf _ fen.
Er hilft uns frei aus al _ ler Noth, die uns jetzt hat be _ trof _ fen.

Der alt' bö _ se Feind, mit Ernst er's jetzt meint, gross Macht und viel List sein

grau _ sam' Rüstzeug ist, auf Erd'n ist nicht sein's Glei _ _ _ chen. (1 Str.)

Martin Luther. 1529.

75. Ein' feste Burg ist unser Gott. (B. A. 39 No 50.)

Jos. Klug. G. B. 1535.

Ein' fe _ ste Burg ist un _ ser Gott, ein' gu _ te Wehr und Waf _ fen.
Er hilft uns frei aus al _ ler Noth, die uns jetzt hat be _ trof _ fen.

Der alt'____ bö _ se Feind, mit Ernst er's jetzt meint, gross Macht und viel

List sein grau _ sam' Rüst _ zeug ist, auf Erd'n ist nicht sein's Glei _ chen. (1 Str.)

Martin Luther. 1529.

76. Ein' feste Burg ist unser Gott. (Cant. 80, Ein' feste Burg ist unser Gott. B A 18, 378.)

Jos. Klug. G. B. 1535.

Das Wort sie sol_len las_sen stahn und kein'n Dank da _ zu ha _ ben.
Er ist bei uns wohl auf dem Plan mit sei _ nem Geist und Ga _ ben.

Neh _ men sie uns den Leib, Gut, Ehr', Kind und Weib, lass fah _ ren da _ _

hin, sie ha _ ben's kein'n Ge_winn; das Reich muss uns doch blei _ ben.

4 Str. (Str. 4 des Liedes: Ein feste Burg.)

Martin Luther. 1529.

77. Eins ist noth, ach Herr, dies Eine. (B. A. 39 № 51.)

Joach. Neander. 1680. (1679.)
Freylingshausens G. B. 1704.

Eins ist noth, ach Herr, dies Ei _ ne leh _ re mich er _ ken_nen doch:

al _ les An _ dre, wie's auch scheine, ist ja nur ein schwe _ res Joch,

da _ run _ ter das Her _ ze sich na _ get und pla _ get, und

den _ noch kein wah _ res Ver _ gnü _ gen er _ jä _ get; er _

lang ich dies Ei _ ne, das Al _ les er _ setzt, so

so werd ich mit Ei _ nem in Al _ lem er _ götzt.
werd ich mit (10 Str.)

Joh. Heinr. Schröder. 1697.

78. Erbarm' dich mein, o Herre Gott. (B. A. 39 N°52.)

Joh. Walter. G. B. 1524.

Er-barm' dich mein, o Her-re Gott, nach dei-ner gross'n Barmher-zig-keit,
wasch' ab, mach' rein mein' Mis-se-that, ich kenn' mein' Sünd' und ist mir leid.

Al - lein ich dir ge - sün - digt hab, das ist wi - der mich

ste - tig - lich; das Bös' vor dir nicht mag be - stahn, du

bleibst ge - recht, ob man ur - thei - le dich.

(5 Str.)

Erhart Hegenwalt. 1524.

79. Erhalt' uns, Herr, bei deinem Wort.

(Cant 6, Bleib bei uns, denn es will Abend werden. B. A. 1, 176.)

Jos. Klug. G. B. 1535.

1. Er - halt' uns, Herr, bei deinem Wort und steure dei - ner Feinde Mord, die
2. Be - weis' dein Macht, Herr Je - su Christ, der du Herr al - ler Her-ren bist: be-

Je _ sum Christum, dei _ nen Sohn, wol _ len stür_zen von sei _ nem Thron.
schirm' dein' ar _ me Chri_sten_heit, dass sie dich lob' in E _ wig _ keit.

3 Str. (In der B. A. nur die 2. Str.)

Martin Luther. 1541.

80. Ermuntre dich, mein schwacher Geist.

(Weihnachts-Oratorium: B. A. 5 II, 59.)

Joh. Schop. 1641.

1. Er _ mun_tre dich mein schwacher Geist, und tra _ ge gross'Ver _ lan _ gen,
   ein klei_nes Kind, das Va _ ter heisst, mit Freu_den zu em _ pfan_gen:
9 Brich an, o schö_nes Mor_genlicht, und lass den Himmel ta _ gen!
   Du Hir_ten_volk, er _ schrecke nicht, weil dir die En_gel sa _ gen:

Cont.

Dies ist die Nacht, da _ rin es kam, und menschlich We _ sen an sich nahm, da _
dass die_ses schwache Knä _ be_lein soll un _ ser Trost und Freu_de sein, da _

durch die Welt mit Treu _ en als sei _ ne Bräut zu frei _ _ en.
zu den Sa _ tan zwin _ gen und letzt_lich Frie_den brin _ gen.

9 Str. (In der B. A. nur die 9. Str.)

Ob

Joh. Rist. 1641.

81. Ermuntre dich, mein schwacher Geist.
(Cant. 43, Gott fähret auf mit Jauchzen. B. A. 10, 126.)

Joh. Schop. 1641.

1. Du Le_bens_fürst, Herr Je _ su Christ, der du bist auf _ ge_nom _ men
gen Himmel, da dein Va_ter ist und die Ge_mein' der From_men:
13. Zieh' uns dir nach, so lau_fen wir, gib uns des Glau_bens Flü _ gel;
hilf, dass wir flie _ hen weit von hier auf I _ sra_e _ lis Hü _ gel!

wie soll ich dei _ nen gro_ssen Sieg, den du durch ei _ nen schwe_ren
Mein Gott, wann' fahr' ich doch da _ hin, wo ich ohn' En _ de fröh _ lich

Krieg er _ wor _ ben hast, recht prei_sen, und dir g'nug Ehr' er _ wei _ sen?
bin? wann werd' ich vor dir ste_hen, dein An _ ge_sicht zu se _ hen?
(11 Str.)

Joh. Rist. 1641.

82. Ermuntre dich, mein schwacher Geist.
(Cant. 11, Lobet Gott in seinen Reichen. B. A. 2, 32.)

Joh. Schop. 1641.

Nun lie _ get al _ les un _ ter dir, dich selbst nur
Die En _ gel müs _ sen für und für dir auf _ zu_

Cont.

aus-ge — nom — men;
aus - ge nom _ men;
war _ ten, kom _ men. Die Fürsten stehn auch auf der Bahn,

und sind dir wil - lig un _ ter _ than; Luft, Was-ser,

Feu'r und Er _ den muss dir zu Dien _ ste wer _ den.
11 Str. (Str. 4 des Liedes: Du Lebensfürst, Herr J. Chr.)

Joh. Rist. 1641.

83. Erschienen ist der herrlich' Tag.

(Cant. 67; Halt im Gedächtniss Jesum Christ. B. A. 16, 233.)

Nic. Herman. 1560.

Er_schie_nen ist der herrlich Tag,dran sich Niemand g'nug freu_en mag:Christ,

un_ser Herr,heut tri_umphirt,all' sein'Feind er ge_fan_gen führt. Al_le_lu_ja!
(11 Str.)

Nic. Herman. 1560.

84. Erschienen ist der herrlich' Tag.

(Cant. 145. So du mit deinem Munde. B. A. 30, 122.)

Nic. Herman 1560.

Drum wir auch bil - lig fröh - lich sein, singen das Hal - le -
lu - ja fein, und lo - ben dich, Herr Je - su Christ; zu
Trost du uns er - stan - den bist. Hal - le - lu - ja!

14 Str. (Str. 14 des Liedes: Erschienen ist der herrlich' Tag.)

Nic. Herman 1560.

85. Erstanden ist der heilig' Christ. (B. A. 39. No 53.)

Triller 1555.

Er - stan - den ist der heil' - ge Christ, al - le - lu -
ja, al - le - lu - ja! Der al - ler Welt ein

Trö _ ster ist, al _ le _ lu _ ja, al le _ lu _ ja!

(Bearbeitung des Hymnus: Surrexit Christus hodie.)

86. Es ist das Heil uns kommen her.

(Cant. 86. Wahrlich, ich sage euch. B. A. 20 I, 134.)

Wittenberg 1524.

1. Es ist das Heil uns kom _ men her von Gnad und lau _ ter
die Werk, die hel _ fen nim _ mer_mehr, sie mö _ gen nicht be _
11. Die Hoffnung wart't der rech _ ten Zeit, was Got _ tes Wort zu _
wenn das ge _ sche _ hen soll zur Freud, setzt Gott kein g'wis se

Gü _ te, Der Glaub' sieht Je _ sum Chri_stum 'an, der
hü _ ten.
sa _ get; Er weiss wohl, wenn's am be _ sten ist, und
Ta _ ge.

hat g'nug für uns all' ge _ than, er ist der Mitt_ler wor _ den.
braucht an uns kein' ar _ ge List, des soll'n wir ihm ver _ trau _ en.

14 Str. (In der B.A. nur die 11.Str.)

Paul Speratus 1523.

87. Es ist das Heil uns kommen her.

(Cant. 9. Es ist das Heil. B. A. 1, 274.)

Wittenberg 1524.

Ob sichs an-liess, als wollt' er nicht, lass dich es nicht er-schre-cken,
denn wo er ist am be-sten mit, da will er's nicht ent-de-cken;

Cont.

sein Wort lass dir ge-wis-ser sein, und ob dein Herz spräch

lau-ter Nein, so lass doch dir nicht grau-en.

14 Str. (Str. 12 des Liedes: Es ist das Heil.)

Paul Speratus 1523.

88. Es ist das Heil uns kommen her.

(Cant. 155. Mein Gott, wie lang', ach lange. B. A. 32, 96.)

Wittenberg 1524.

Ob sich's an-liess', als wollt er nicht, lass dich es nicht er-schre-cken,
denn wo er ist am be-sten mit, da will er's nicht ent-de-cken;

sein Wort lass dir ge-wis-ser sein, und ob dein Herz spräch

lau ter Nein, so lass doch dir nicht grau en.

14 Str. (Str. 12 des Liedes: Es ist das Heil.)

Paul Speratus 1523.

89. Es ist das Heil uns kommen her.

(Trauungschoral. B. A. 13 I, 148.)

Wittenberg 1524.

Hörner.

Sei Lob und Ehr' dem höchsten Gut, dem Va ter al ler Gü te,
dem Gott, der al le Wun der thut, dem Gott, der mein Ge mü the

Cont.

mit sei nem rei chen Trost er füllt, dem Gott, der al len

Jam mer stillt: gebt un serm Gott die Eh re!

(9 Str.)

Joh. Jac. Schütz 1673.

90. Es ist das Heil uns kommen her.

(Cant. 117. Sei Lob und Ehr'dem höchsten Gut. B. A. 24, 172.)

Wittenberg 1524.

4. Ich rief dem Herrn in mei-ner Noth: Ach Gott, vernimm mein Schrei – en!
Da half mein Hel-fer mir vom Tod und liess mir Trost ge – dei – hen.
9. So kom-met vor sein An-ge-sicht mit jauchzen-vol-lem Sprin – gen;
be-zah-let die ge-lob-te Pflicht, und lasst uns fröh-lich sin – gen:

Drum dank', ach Gott, drum dank' ich dir; ach dan-ket, dan-ket
Gott hat es Al-les wohl be-dacht und Al-les, Al-les

Gott mit mir! Gebt un-serm Gott die Eh – re!
wohl ge-macht! Gebt un-serm Gott die Eh – re!

9 Str. (Str. 4 u. 9 des Liedes: Sei Lob und Ehr' dem höchsten Gut.)

Joh. Jac. Schütz 1673.

91. Es ist genug; so nimm, Herr, meinen Geist.

(Cant. 60. O Ewigkeit, du Donnerwort. B. A. 12 II; 190.)

Joh. Rud. Ahle 1662.

1. Es ist ge-nug: so nimm, Herr, mei-nen Geist zu Zi-ons Gei-stern
5. Es ist ge-nug: Herr, wenn es dir ge-fällt, so span-ne mich doch

hin, lös auf das Band, das all-ge-mäch-lich reisst, be-frei-e
aus. Mein Je-sus kommt: nun gu-te Nacht, o Welt! ich fahr' in's

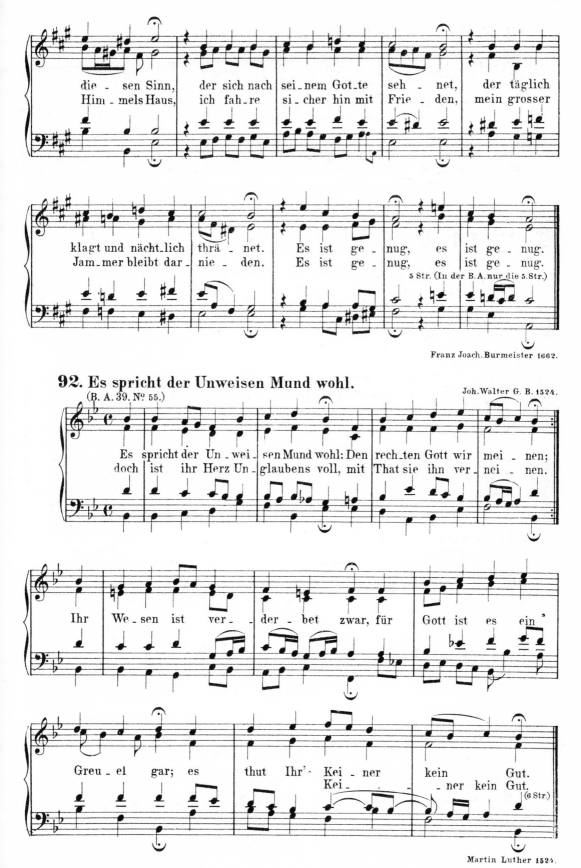

die _ sen Sinn, der sich nach sei _ nem Got _ te seh _ net, der täglich
Him _ mels Haus, ich fah _ re si _ cher hin mit Frie _ den, mein grosser

klagt und nächt _ lich thrä _ net. Es ist ge _ nug, es ist ge _ nug.
Jam _ mer bleibt dar _ nie _ den. Es ist ge _ nug, es ist ge _ nug.

5 Str. (In der B. A. nur die 5. Str.)

Franz Joach. Burmeister 1662.

92. Es spricht der Unweisen Mund wohl.

(B. A. 39. N? 55.)

Joh. Walter G. B. 1524.

Es spricht der Un _ wei _ sen Mund wohl: Den rech _ ten Gott wir mei _ nen;
doch ist ihr Herz Un _ glaubens voll, mit That sie ihn ver _ nei _ nen.

Ihr We _ sen ist ver _ der _ bet zwar, für Gott ist es ein'

Greu _ el gar; es thut Ihr' Kei _ ner kein Gut.
Kei _ _ _ ner kein Gut.

(6 Str.)

Martin Luther 1524.

93. Es steh'n vor Gottes Throne. (B. A. 39. No 56.)

Joach. à Burck 1594.

Es steh'n vor Gottes Thro_ne, es steh'n vor Got_tes Thro_ne, die
der in seim lieben Soh_ne, der in seim lie_ben Soh_ne liebt

un_sre Wächter sind, dass er auch nicht der Ei_nes ver_acht' will hab'n so
al_ler Menschen Kind,

Klei_nes. als je_mals ist ge_bor'n; als je_mals ist ge_born.
(7 Str.)

Ludwig Helmbold 1585.

94. Es wird schier der letzte Tag herkommen.
(B. A. 39. No 57.)

Michael Weisse 1531.

Es wird schier der letz_te Tag her_kom__men,

denn die Bos_heit hat sehr zu ge__nom____men;

was Chri_stus hat vor ge_sagt, das wird jetzt be_ _klagt.

(20 Str.)

Mich. Weisse 1531.

95. Es woll' uns Gott genädig sein. (B.A.39. № 58.)

Strassburger Kirchenamt 1525. (1524.)

Es woll' uns Gott ge_ nä_ _ _dig sein und sei_ nen Se_ gen
sein Ant_litz uns mit hel_ _ _lem Schein er_ leucht'zum ew'_ gen

ge_ _ _ _ben; dass wir er_ken_nen sei_ ne Werk' und,
Le_ _ _ _ben, dass wir er_ken_nen sei_ ne Werk' und,

was ihn liebt, auf Er_ den, und Je_ sus Chri_stus Heil und Stärk' be_

kannt den Hei_den wer_ den und sie zu Gott be_ keh_ ren.

(3 Str.)

M. Luther 1524.

96. Es woll' uns Gott genädig sein. (B.A.39. Nº 59.)

Strassburger Kirchenamt 1525.(1524.)

Es woll' uns Gott ge _ nä _ _ _ dig sein und sei _ nen Se _ gen ge _ ben,
sein Ant _ litz uns mit hel _ _ lem Schein er _ leucht' zum ew' _ gen Le _ ben,

dass wir er _ ken _ nen sei _ ne Werk' und, was ihn liebt, auf

Er _ _ den, und Je _ sus Christus Heil und Stärk' be _ kannt den Hei _ den

wer _ _ den und sie zu Gott be _ keh _ _ ren. (3 Str.)

M. Luther 1524.

97. Es woll' uns Gott genädig sein.

(Cant. 69. Lobe den Herrn, meine Seele. B.A.16, 325.)

Strassburger Kirchenamt 1524.

3 Trompeten u. Pauken.

Es dan _ ke, Gott, und lo _ _ be dich das Volk in gu _ ten
Land bringt Frucht und bes _ _ sert sich, dein Wort ist wohl ge _

Tha ra _ _ _ ten. Das _then. Uns seg_ne Va_ter und der Sohn,uns

seg_ne Gott, der heil'_ge Geist,dem al_le Welt die Eh_re thu, vor

ihm sich fürchte al_ler_meist, und sprecht von Her_zen: A _ _ men.
Her_ _ zen: A _ men.

3 Str. (Str. 3 des Liedes: Es woll' uns Gott genädig sein.)

M. Luther 1524.

98. Freu dich sehr, o meine Seele.

(Cant. 70. Wachet, betet, seid bereit. B. A. 16, 354.)

Franz. Psalmen. Genf 1551.

1. Freu dich sehr, o meine Seele, und vergiss all Noth und Qual
weil dich nun Christus, dein Herre, ruft aus diesem Jammerthal.
10. Freu dich sehr, o meine Seele, und vergiss all' Noth und Qual,
weil dich nun Christus, dein Herre, ruft aus diesem Jammerthal.

Aus Trübsal und grossem Leid sollst du fahren in die Freud, die kein
Seine Freud' und Herrlichkeit sollst du sehn in Ewigkeit, mit den

Ohr je hat gehöret und in Ewigkeit auch währet.
Engeln jubilieren, in Ewigkeit triumphieren.

(In der B. A. nur die 10. Str.) (10 Str.)

1620.

99. Freu dich sehr, o meine Seele.

(Cant. 19. Es erhub sich ein Streit. B. A. 2, 288.)

Franz. Psalmen. Genf 1551.

3 Trompeten u. Pauken.

Lass dein' Engel mit mir fahren auf Elias Wagen roth,
und mein' Seele wohl bewahren, wie Laz'rum nach seinem Tod.

Lass sie ruhn in dei - nem Schoos, er - füll' sie mit

Freud' und Trost, bis der Leib kommt aus der Er _ _ de,

und mit ihr ver _ ei _ nigt wer _ _ _ de.

10 Str. (Str. 9 des Liedes: Freu dich sehr, o meine Seele.)

1620.

100. Freu' dich sehr, o meine Seele.

(Cant. 194. Höchst erwünschtes Freudenfest. B. A. 29, 124.)

Französische Psalmen. Genf 1551.

1. Treuer Gott, ich muss dir kla_gen meines Her_zens Jam_mer_stand,
   ob dir wohl sind mei_ne Pla_gen besser, als mir selbst be_kannt:
6. Heil'ger Geist in's Him_mels Thro_ne, gleicher Gott von E_wig_keit
   mit dem Va_ter und dem Soh_ne, der Be_trüb_ten Trost und Freud'!
7. Dei_ne Hül_fe zu mir sen_de, o du ed_ler Her_zens_gast!
   und das gu_te Werk voll_en_de, das du an_ge_fan_gen hast.

Cont.

gro_sse Schwachheit ich bei mir in An_fechtung oftmals spür, wenn der Sa_tan
Al_len Glau_ben, den ich find', hast du in mir an_ge_zünd't, ü_ber mir in
Blas' in mir das Fünklein auf, bis dass nach voll_brachtem Lauf ich den Aus_er_

al_len Glau_ben will aus mei_nem Her_zen rau_ben.
Gna_den wal_te, fer_ner dei_ne Gnad' er_hal_te.
wähl_ten glei_che und des Glau_bens Ziel er_rei_che.

12 Str. (In der B. A. nur die beiden untern Str.)

Joh. Heermann. 1630.

101. Freu' dich sehr, o meine Seele.

(Cant. 25. Es ist nichts Gesundes an meinem Leibe. B. A. 5 I, 188.)

Franz. Psalmen. Genf 1551.

Ich will al_le mei_ne Ta_ge rüh_men dei_ne star_ke Hand,
dass du mei_ne Plag' und Kla_ge hast so herz_lich ab_ge_wandt.

Nicht nur in der Sterb_lich_keit soll dein Ruhm sein aus_ge_breit't:

ich will's auch her_nach er_wei_sen, und dort e_wig_lich dich prei_sen.

12 Str. (Str. 12 des Liedes: Treuer Gott ich muss dir klagen.)

Joh. Heermann. 1630.

102. Freu' dich sehr, o meine Seele.

(Cant. 32. Liebster Jesu, mein Verlangen. B. A. 7, 80.)

Franz. Psalmen. Genf 1551.

1. Weg, mein Herz mit den Ge_dan_ken, als ob du ver_sto_ssen wärst,
bleib in Got_tes Wort und Schranken, da du an_ders re_den hörst.
12. Mein Gott, öff_ne mir die Pfor_ten sol_cher Gnad' und Gü_tig_keit,
lass mich all_zeit al_ler Or_ten schmecken dei_ne Sü_ssig_keit!

Cont.

Bist du bös und un_ge_recht? Ei so ist Gott fromm und schlecht.
Lie_be mich, und treib' mich an, dass ich dich, so gut ich kann,

Hast du Zorn und Tod ver_die_net? Sin_ke nicht, Gott ist ver_süh_net.
wie_der_um um_fang' und lie_be, und ja nun nicht mehr be_trü_be.

12 Str. (In der B. A. nur die 12. Str.)

Paul Gerhardt. 1648.

103. Freu' dich sehr, o meine Seele.

(Cant. 30. Freue dich, erlöste Schaar. B. A. 5 I, 360.)

Franz. Psalmen. Genf 1551.

1. Tröstet, trö_stet mei_ne Lie _ ben, trö_stet mein Volk, spricht mein Gott,
tröstet, die sich jetzt be_trü_ben ü_ber Fein_des Hohn und Spott;
3. Ei_ne Stimme lässt sich hö_ren in der Wü_sten, weit und breit,
al_le Menschen zu be_keh_ren: macht dem Herrn den Weg be_reit,

weil Je_ru_sa_lem wohl dran, re_det sie gar freundlich an;
ma_chet Gott ein' eb'_ne Bahn, al_le Welt soll _he _ ben an,

denn ihr Lei_den hat ein En_de, ih_re Ritterschaft sich wen_de.
al_le Thä_ler zu er_hö_hen, dass die Ber_ge nied_rig ste_hen.

4 Str. (In der B. A. nur die 3. Str.)

Joh. Olearius. 1671.

104. Freu' dich sehr, o meine Seele.

(Cant. 39. Brich dem Hungrigen dein Brod B. A. 7, 348.)

Franz. Psalmen. Genf 1551.

1. Kommt, und lasst euch Je_sum leh_ren, kommt und ler_net all_zu_mal
wel_che die sein, die ge_hö_ren in der rech_ten Chri_sten Zahl,
6. Se_lig sind, die aus Er_bar_men sich an_neh_men frem_der Noth,
sind mit_lei_dig mit den Ar_men, bit_ten treu_lich für sie Gott.

die be_ken_nen mit dem Mund, glau_ben auch von Her_zens_grund,
Die be_hülf_lich sind mit Rath, auch, wo mög_lich, mit der That,

und be_mü_hen sich da_ne_ben, Gut's zu thun, so lang sie le_ben.
wer_den wie_der Hülf' em_pfan_gen und Barm_her_zig_keit er_lan_gen.

11 Str. (In der B. A. nur die 6. Str.)

Dav. Denicke. 1676.

105. Freuet euch, ihr Christen alle.

(Cant. 40. Dazu ist erschienen. B. A. 7, 394.)

Andr. Hammerschmidt. 1646.

Freuet euch, ihr Chri_sten al_le, freu_e sich wer im_mer kann! Gott hat viel an
Je_su, nimm dich dei_ner Glieder fer_ner in Ge_na_den an; schenke, was man

uns ge_than. Freu_et euch mit grossem Schalle, dass er uns aus To_des Macht
bit_ten kann, zu er_qui_cken dei_ne Brü_der: gib der gan_zen Chri_stenschaar

durch sein Sterben frei ge_macht. Freude, Freude ü_ber Freude! Christus weh_ret
Frie_den und ein sel'_ges Jahr! Freude, Freude ü_ber Freude! Christus weh_ret

al_lem Leide. Wonne, Wonne ü_ber Wonne! er ist die Ge_naden_sonne.
al_lem Leide. Wonne, Wonne ü_ber Wonne! er ist die Ge_naden_sonne.

4 Str. (In der B. A. nur die 2. Str.)

Christian Keymann. 1646.

106. Für Freuden lasst uns springen. (B. A. 39. № 60.)

Casp. Peltsch. 1648.

Für | Freu_den lasst uns | sprin_gen, ihr | Christen all _ zu _ g'lei _ che!
Mit | Mund und Her_zen | sin _ gen, denn | Christ vom Him_mel _ rei _ che

von | ei _ ner | Jung _ frau | ist | ge _ bor'n, wer

hat zu _ vor ge _ | hört von sol _ chen | Din _ gen?

(6 Str.)

107. Gelobet seist du, Jesu Christ. (B. A. 39. № 61.)

Joh. Walther. G. B. 1524.

Ge _ | lo_bet seist du, | Je _ su Christ, | dass du Mensch ge_

bo _ ren bist von ei _ ner Jung _ frau, das ist wahr, dess

freu _ et sich der En _ gel Schaar. Al _ le _ lu _ ja!

(7 Str.)

.M. Luther. 1524.

108. Gelobet seist du, Jesu Christ. (Cant. 64. Sehet, welch' eine Liebe. B. A. 16, 118.)

Joh. Walther. G. B. 1524.

Das hat er Al _ les uns ge _ than, sein' gross' Lieb' zu

Cont.

zei _ gen an; dess freu' sich al _ le Chri _ sten _ heit und dank ihm dess in

Ky _ rie _ leis!

E _ wig _ keit. Ky _ ri _ e e _ leis!

Ky _ ri _ e e _ leis!

E _ _ wig _ keit. Ky _ ri _ e e _ leis!

7 Str. (Str. 7 des Liedes: Gelobet seist du, Jesu Christ.)

M. Luther. 1524.

109. Gelobet seist du, Jesu Christ. (Cant. 91. Gelobet seist du, J. Chr. B. A. 22, 32.)*

Joh. Walther. G. B. 1524.

Das hat er Al _ les uns ge _ than, sein' gross' Lieb' zu

zei _ gen an; dess freu' sich al _ le Chri_sten_heit, und dank' ihm dess in

E _ wig _ keit._____ Ky _ ri _ e _ _ leis.

E _ _ _ wig _ keit. Ky _ _ ri _ e _ leis.

E _ wig _ keit._____ Ky _ ri _ e _ leis.

E _ _ _ wig _ keit. Ky _ _ ri _ e _ leis.

7 Str. (Str. 7 des Liedes: Gelobet seist du, J. Chr.)
M. Luther. 1524.

*) Ohne oblig. Instr., mit geringer Abweichung in der Textunterlage am Schlusse, steht dieser Choral als Variante in der Cantate 64. Sehet, welch' eine Liebe. B. A. 16, 371.

110. Gelobet seist du, Jesu Christ. (Weihnachts-Oratorium. B. A. 5 II, 110.) Joh. Walther. G. B. 1524.

Dies hat er Al_les uns gethan, sein' gross' Lieb' zu zei_gen an; dess freu' sich al_le Chri_sten_heit und dank' ihm dess in E _ wig_keit. _ Ky _ rie leis.

Ky_rie _ leis.

E _ _ wig_keit. Ky_ri_e_leis.

7 Str. (Str. 7 des Liedes: Gelobet seist du, J. Chr.)

M. Luther. 1524.

111. Gieb dich zufrieden und sei stille. (B. A. 39, N? 62.) Joh. Seb. Bach. 1725.

Gieb dich zu _ frie_den und sei stil _ le in dem Got _ te dei _ nes
in ihm ruht al _ ler Freuden Fül _ le, ohn' ihn mühst du dich ver_

Le _ bens,
ge _ bens. Er ist dein Quell und dei _ ne Son_ne, scheint täg _ lich

hell zu dei _ ner Won _ ne, gieb dich zu _ frie_den, zu _ frie _ den.

(15 Str.)

P. Gerhardt. 1666.

112. Gott, der du selber bist das Licht. (B. A. 39. № 63.)

J. Crüger. 1648.

Gott, der du sel - ber bist das Licht, dess Güt' und Treu - e
nach - dem durch dei - ne gro - sse Macht der hel - le Tag die

stir - bet nicht, dir sei itzt Lob ge - sun - - gen:
fin - stre Nacht so kräf - tig hat ver - drun - - gen,

und dei - ne Gnad' und Wun - der - that mich, da ich schlief, er - hal - ten hat.

(15 Str.)

Joh. Rist. 1641.

113. Gott der Vater wohn' uns bei.. (B. A. 39. № 64.)

Joh. Walther. G. B. 1524.

Gott der Va - ter wohn' uns bei und lass' uns nicht ver - der - ben,
mach' uns al - ler Sün - den frei und helf' uns se - lig ster - ben.

Vor dem Teu_fel uns be_wahr', halt' uns bei fe_stem Glau_ben, und
dir uns las_sen ganz und gar, mit al_len rech_ten Chri_sten ent_

auf dich lass uns bau_en, aus Her_zens_grund ver_trau_en,
flie_hen Teu_fels Li_sten, mit Waf_fen Gott's uns fri_sten.

A_men, A_men, das sei wahr, so sin_gen wir Al_le_lu_ja.
(3. Str.)

M. Luther. 1524.

114. Gott des Himmels und der Erden. (Weihnachts Oratorium. B. A. 5 II, 208.)

Heinr. Albert. 1644.

Zwar ist sol_che Her_zens_stu_be wohl kein schö_ner Fürsten_saal,
sondern ei_ne fin_stre Gru_be; doch so bald dein Gnaden_strahl

Cont.

in die_sel_be nur wird blin_ken, wird sie vol_ler Son_nen dün_ken.

115. Gottes Sohn ist kommen. (B. A. 39, № 65.)

Michael Weisse 1531.

Got_tes Sohn ist kom_ _men uns Al_len zu From_men

hie auf die_se Er_ _den in ar_men Ge_ber_ _ _den,

dass er uns von Sün_ _de frei_e und ent_bin_ _de.

(9 Str.)

J. Horn 1544.

116. Gott hat das Evangelium. (B. A. 39, № 66.)

Erasmus Alberus 1548.

Gott hat das E_van_ge_li_um ge_ge_ben, dass wir.

werden fromm; die Welt acht' sol_chen Schatz nicht hoch, der meh_ _rer' Theil fragt

nichts dar_nach, das ist ein Zei_chen vor dem jüng_sten Tag.
(11 Str.)

Erasm. Alberus 1548.

117. Gott lebet noch. (B. A. 39, № 67.)

Freilinghausen's G. B. II 1714.

Gott lebet noch; See_le, was ver_zagst du doch? Gott ist gut, der aus Er_

barmen al_leHülf' auf Er_den thut, der mit Kraft und starken Ar_men ma_chet

Al_les wohl und gut. Gott kann bes_ser als wir den_ken al_le Noth zum

be_stenlenken. See_le, so be_den_ke doch: lebt doch un_ser Herr Gott noch.
(8 Str.)

Joh. Friedr. Zihn 1692 (1682).

118. Gottlob, es geht nunmehr zu Ende.
(B. A. 39, No. 68.)

Wahrscheinlich von Joh. Seb. Bach.

Gottlob, es geht nun mehr zum En-de, der mei-ste Kampf ist nun vollbracht;
mein Jesus reicht mir schon die Hände, mein Je-sus, der mich se-lig macht.

Drum lasst mich gehn, ich rei-se fort, mein Je-sus ist mein letz-tes Wort.
(7 Str.)

Christian Weise 1682.

119. Gott sei gelobet und gebenedeiet. (B. A. 39, No 69.)

J. Walter G. B. 1524.

Gott sei ge-lo-bet und ge-be-ne-dei-et, der uns
mit sei-nem Flei-sche und mit sei-nem Blu-te; das gieb

sel-ber hat ge-spei-set Ky-rie e-lei-son. Herr, durch dei-nen
uns, Herr Gott, zu Gu-te!

heil'gen Leich-nam, der von dei-ner Mutt'r Ma-ri-a kam, und das hei-li-

ge Blut hilf uns, Herr, aus al _ ler Noth! Ky _ rie e _ lei _ _ son!
(3 Str.)

M. Luther 1524.

120. Gott sei uns gnädig und barmherzig.
(B. A. 39, No. 70.)

G. Rhau, Enchiridion 1535.
Jos. Klug G. B. 1535.

Gott sei uns gnä _ dig und barm _ her _ _ zig

und geb' uns sei_nen gött_li_chen Se _ _ gen._____

und geb' uns sei_nen gött _ li _ _ chen Se _ _ gen.
und geb' uns sei_nen gött _ li _ _ chen Se _ _ gen.
(3 Str.)

und geb' uns sei _ nen gött _ li _ _ chen Se _ _ gen

Nach 1. Mose, 6, 24—26.

121. Meine Seele erhebt den Herren. (B. A. 39, No. 71.)

G. Rhau, Enchiridion 1535 und
Jos. Klug G. B. 1535.

Mei _ ne See_le er _ he _ _ bet den Herrn,

und mein Geist freu_et sich Got_tes mei_nes Hei _ _ lands.

Evang. Lucä, 1, 46 u. 47.

122. Meine Seele erhebt den Herren.

(Cant. 10. Meine Seele erhebt den Herrn. B. A. 1, 303.)

Jos. Klug G. B. 1535.

Lob und Preis sei Gott dem Va_ter und dem Sohn und dem heiligen Gei_ste,

Cont.

wie es war im An_fang jetzt und im_mer_dar und von

wie es war im An_fang jetzt und im_mer_dar und von

wie es war im An_fang jetzt und im_mer_dar

wie es war im Anfang jetzt und im_mer_dar und von

wie es war im An_ _ _fang jetzt und im_mer_ _dar und von E_wig_

E_wigkeit zu E_wigkeit, A_ _men.

und von E_wig_keit zu E_wigkeit, A_ _ _ _ _men.

E_wig_keit zu E_wig_keit, A_ _ _ _ _men.

keit zu E_wigkeit, A_ _ _ _men.

(Lobgesang Mariä (Magnificat) Vers 10 u. 11.)
Jos. Klug G. B. 1535.

123ᵃ. Heilig, heilig. (B. A. 39, Nº 72.)

Handschr. Choralbuch. Steinau 1726.
Umbildung vielleicht von Bach.

Hei_lig, hei_ _lig, hei_ _lig bist du Herr Gott Ze_ba_

oth! Al_le Lan_ _de sind sei_ner Eh_ _re voll

Ho-si-an-na in der Hö-he. Ge-lobt sei der da kommt im

Na-men des Herrn. Ho-si-an-na in der Hö-he!

Jes. 6, 3 u. Ev. Matth. 21, 9.

123ᵇ. Sanctus, sanctus Dominus Deus Sabaoth. (B. A. 39, Nº 72.)

Sanctus, san-ctus, san-ctus Do-minus De-us Sa-ba-

oth. Ple-ni sunt coe-li glo-ri-a tu-a.

O-san-na

O-san-na in ex-cel-sis. Be-ne-di-ctus, qui

O-san-na

ve-nit in no-mine Do-mi-ni O-san-na in ex-cel-sis!

124. Helft mir Gott's Güte preisen.
(Von Gott will ich nicht lassen.)

(Cant. 28. Gottlob, nun geht das
Jahr zu Ende. B. A. 5 I. 272.)

Wolfg. Figulus 1575.

Paul Eber vor 1569.

125. Helft mir Gott's Güte preisen.

(Cant. 16. Herr Gott, dich
loben wir. B. A. 2. 198.)

Wolfg. Figulus 1575.

und bit_ten fer_ner dich, gieb uns ein fried_lich Jah__re, vor

al_les Leid be_wah__re und nähr' uns mil_dig__lich.

6 Str. (Str. 6 des Liedes: Helft mir Gott's Güte preisen.)

Paul Eber vor 1569.

126. Helft mir Gott's Güte preisen. (Cant. 183. Sie werden euch in den Bann thun. B. A. 37. 74.)

Wolfg. Figulus 1575.

1. Zeuch ein zu dei_nen Tho__ren, sei mei_nes Her_zens Gast,
der du, da ich ge_bo__ren, mich neu ge_bo_ren hast.
5. Du bist ein Geist, der leh__ret, wie man recht be_ten soll;
dein Be_ten wird er_hö__ret, dein Sin_gen klin_get wohl;

O hoch_ge_lieb_ter Geist des Va_ters und des Soh__nes, mit
es steigt zum Him_mel an, es steigt und lässt nicht a__be, bis

bei_den glei_ches Thro__nes, mit bei_den gleich ge_preist!
der ge_hol_fen ha__be, der al_lein hel_fen kann.

12 Str. (In der B. A. nur die 5. Str.)

P. Gerhardt 1653.

*) Die kleinen Noten nach der Ausgabe von 1785 N° 99.

127. Herr Christ, der einig' Gott's Sohn.

(Cant. 164. Ihr, die ihr euch von Christo nennet. B. A. 33. 88.)

Erfurt. Enchiridion 1524.

1. Herr Christ, der ei _ nig Gott's Sohn, Va _ ters in E _ wig _ keit,
   aus sei _ nem Herz'n ent _ spros _ sen, gleich wie ge _ schrieben steht.
   Er ist der
5. Er _ tödt' uns durch dein' Gü _ te, er _ weck' uns durch dein' Gnad'!
   Den al _ ten Men _ schen krän _ ke, dass der neu le _ ben mag
   wohl hier auf

Morgen _ ster _ ne, sein'n Glanz streckt er so fer _ ne, vor an _ dern Sternen klar.
die _ ser Er _ den, den Sinn und all Be _ gehr _ den, nur G'danken hab' zu dir.

5 Str. (In der B. A. nur die 5. Str.)

Elisabeth Creutziger 1524.

128. Herr Christ, der einig' Gott's Sohn.

(Cant. 96. Herr Christ, der einig' Gotts Sohn. B. A. 22. 184.)

Erfurt. Enchiridion 1524.

Er _ tödt' uns durch dein' Gü _ te, er _ weck' uns durch dein' Gnad';
den al _ ten Men _ schen krän _ ke, dass der neu' le _ ben mag
wohl

Cont.

hier auf die _ ser Er _ den, den Sinn und all' Be _ gehr _ den und G'danken hab' zu dir.

5 Str. (Str. 5 des Liedes: Herr Christ, der einig Gott's Sohn.)

Elisabeth Creutziger 1524.

129. Herr Gott, dich loben alle wir. (B. A. 39. No 73.)

Französische Psalmen. Genf 1551.

Herr Gott, dich lo _ _ ben al _ _ le wir und

130. Herr Gott, dich loben alle wir.

Franz. Psalmen. Genf 1551.

Paul Eber (1554 ?).

In der B. A. noch nicht veröffentlicht. In Erks Ausgabe Bachscher Choräle als № 220 angeführt. Echtheit fraglich. S. Vorwort des 39. B. d. B. A. S. L.

131. Herr Gott, dich loben alle wir.

(Cant. 130. Herr Gott, dich
loben alle wir. B. A. 26, 268.)

Franz. Psalmen. Genf 1551.

11. Da _ rum wir bil _ lig lo _ ben dich und dan _ ken
12. Und bit _ ten dich, du wollst all _ zeit die _ sel _ ben

dir, Gott, e _ wig lich, wie auch der lie _ ben
hei _ ssen sein be _ reit, zu schü _ tzen dei _ ne

En _ gel Schaar dich prei _ set heut und im _ mer _ dar.
klei _ ne Heerd, so hält dein gött _ lich Wort in Werth.

12 Str. (Str. 11 u. 12 des Liedes: Herr Gott, dich loben alle wir.)

Paul Eber 1554 ?

132. Herr Gott, dich loben alle wir. (B. A. 39. № 74.)

Franz. Psalmen. Genf 1551.

1. Für dei - nen Thron tret' ich hier - mit, o Gott, und dich de - mü - thig

bitt': wend' dein ge - nä - dig' An - ge - sicht von mir, dem ar - men Sünder, nicht.

15 Str.

Bodo von Hodenberg 1648.

133. Herr Gott, dich loben wir. (B. A. 39. № 75.)

J. Klugs G. B. 1535.

Herr Gott, dich lo - ben wir, Herr Gott, wir dan - ken dir.

Dich, Gott Va - ter in E - wig - keit, eh - ret die Welt
All' En - gel und all' Him - mels - heer, und was da die - net
auch Che - ru - bim und Se - ra - phim sin - gen im - mer mit

weit und breit.
dei - ner Ehr', Hei - lig ist un - ser Gott!
ho - her Stimm': Hei - lig ist un - ser Gott!

Hei - lig ist un - ser Gott, der Herr Ze - ba - oth!

Dein' gött - lich Macht und Herrlich - keit geht ü - ber Himm'l und Er - den weit.
Der hei - li - gen zwölf Bo - ten Zahl, und die lie - ben Pro - phe - ten all,
die theu - ren Märt - rer all - zu - mal lo - ben dich, Herr, mit gro - ssem Schall.
Die gan - ze wer - the Christen - heit rühmt dich auf Er - den al - le - zeit.
Dich, Gott Va - ter, im höchsten Thron, dei - nen rech - ten und ein' - gen Sohn,
den heil'gen Geist und Tröster werth mit rech - tem Dienst sie · lobt und ehrt.

Du Kön'g der Eh - ren, Je - su Christ, Gott Va - ters ew' - ger Sohn du bist,
der Jung - frau Leib nicht hast verschmäht, zuer - lö - sen das mensch - lich' Ge - schlecht,
du hast dem Tod zer - stört sein Macht und all' Chri - sten zum Himmel bracht.
Du sitz'st zur Rech - ten Got - tes gleich mit al - ler Ehr' in's Va - ters Reich.
Ein Rich - ter du zu - künf - tig bist Al - les, was todt und le - bend ist.
Nun hilf uns, Herr, den Die - nern dein, die mit dein'm Blut er - lö - set sein.

Lass uns im Himmel ha - ben Theil mit den Heil'gen im ew - gen Heil! Hilf

dei - nem Volk, Herr Je - su Christ und seg - ne was dein Erb - theil ist, wart'

und pfleg' ihr' zu al ler Zeit und heb' sie hoch in E wig keit. Täg

lich, Herr Gott, wir lo ben dich und ehr'n dein'n Na men ste tig lich.

Be hüt' uns heut', o treu er Gott, vor al ler Sünd und Mis se that,
sei gnädig uns, o Her re Gott, sei gnä dig uns in al ler Noth!
Zeig' uns dei ne Barm her zig keit, wie un ser Hoffnung zu dir steht.

Auf dich hof fen wir, lie ber Herr, in Schan den lass uns

A men!

nim mer mehr. A men!

Ambrosianischer Lobgesang verdeutscht von Mart. Luther 1529.

134. Herr Gott, dich loben wir.

(Cant. 119. Preise, Jerusalem den Herrn. B. A. 24, 246.)

J. Klug. G. B. 1535.

Hilf dei_nem Volk, Herr Je_su Christ, und seg_ne das dein
Erb_theil ist. Wart' und pfleg' ihr'r zu al_ler Zeit und
heb sie hoch in E_wig_keit. A_____men.
(Str. a. dem Te deum.)

M. Luther 1529.

135. Herr Gott, dich loben wir.

(Cant. 120 Gott, man lobet dich in der Stille. B. A. 24, 284.)

Val. Babst G. B. 1545.

Nun hilf uns Herr den Dei_nen dein, die mit dein'm Blut er_lö_set sein. Lass
uns im Himmel ha_ben Theil mit den Heil'_gen im ew'_gen Heil. Hilf

dei _ nem Volk, Herr Je _ su Christ, und seg _ ne was dein Erbtheil ist, wart'

und pfleg' ihr'r zu al _ ler Zeit und heb sie hoch in E _ wig _ keit.

5 Str. (4. Str. des Liedes: Herr Gott dich loben wir.)

M. Luther 1529.

136. Herr, ich denk' an jene Zeit. (B. A. 39, N? 76.)

G. B. der Böhm. Brüder 1566.

Herr, ich denk' an je _ ne Zeit, wenn ich die _ sem kur _ zen Le _

kurzen Le _

kur _ zen Le _

ben we _ gen mei _ ner Sterblich _ keit gu _ te Nacht muss ge _ ben, wenn ich

werd' auf dein Ge _ bot durch den Tod Al _ les ü _ ber _ stre _ ben.

(7 Str.)

Georg Mylius 1650.

137. Herr, ich habe missgehandelt. (B. A. 39, No. 77.)

J. Krüger 1649.

Herr, ich ha _ be miss _ ge _ han _ delt, ja mich drückt der Sün _ den Last;
ich bin nicht den Weg ge _ wan _ delt, den du mir ge _ zei _ get hast,

gern aus Schrecken

und jetzt wollt' ich gern aus Schre _ cken mich vor dei _ nem Zorn ver _ ste _ cken.
(8 Str.)

gern aus Schrecken

J. Frank vor 1649.

138. Herr, ich habe missgehandelt. (B. A. 39, No. 78.)

J. Krüger 1649.

Herr, ich ha _ be miss _ ge _ han _ delt, ja mich drückt der Sün _ den Last;
ich bin nicht den Weg ge _ wan _ delt, den du mir ge _ zei _ get hast;

und itzt wollt' ich gern aus Schre _ cken mich vor dei _ nem Zorn ver _ ste _ cken.
(8 Str.)

J. Frank vor 1649.

139. Herr Jesu Christ, dich zu uns wend'. (B. A. 39, No. 79.)   Pensum sacrum.
Görlitz 1648.

Herr Je _ su Christ, dich zu uns wend', dein'n heil'_gen Geist du zu uns send', mit

Hülf' und Gnad', Herr, uns re _ gier' und uns den Weg zur Wahr_heit führ'.
(4 Str.)

Herzog Wilhelm II. zu Sachsen Weimar (?) 1651.

140. Herr Jesu Christ, du hast bereit't. (B. A. 39, No. 80.)   Handschriftlich: J. G. Wagner 1712.
vielleicht von Bach?

Herr Je _ su Christ, du hast be _ reit't für uns _ re mat _ te See _ len.
dein'n Leib und Blut zu ein'r Mahlzeit thust uns zu Gästen wäh _ len.

Wir tra _ gen uns _ re Sün _ den _ last; drum kom _ men wir bei

dir zu Gast und su _ chen Rath und Hül _ fe.
(8 Str.)

Samuel Kinner 1644.

141. Herr Jesu Christ, du höchstes Gut. (B. A. 39, № 81.)

Dresden G. B. 1593.

Herr Je _ su Christ, du | höchstes Gut, du | Brunnquell al _ ler | Gna _ den,
sieh doch, wie ich in | mei_nem Muth mit | Schmerzen bin be _ | la den,

und in mir hab' der Pfei _ le viel, die im Ge _ wis _ sen
Ge _ wis

oh _ ne Ziel mich ar _ men Sün _ _ der drü _ cken.
(8 Str.)

_ sen oh_ne

Bartholomaeus Ringwaldt 1588.

142. Herr Jesu Christ, du höchstes Gut.

(Cant. 113. Herr Jesu Christ, du höchstes Gut. B. A. 24, 80.)

Dresden G. B. 1593.

Stärk | mich mit dei_nem | Freu_den_geist, heil' | mich mit dei _ nen | Wun _ den;
wasch' | mich mit dei_nem | To _ desschweiss in | mei_nen letz_ten | Stun _ den;

und nimm mich einst, wenn dir's ge-fällt im wah-ren Glau-ben

von der Welt zu dei-nen Aus — er-wähl — ten.

8 Str. (Str. 8 des Liedes: Herr Jesu Christ, du höchstes Gut.)

Barth. Ringwaldt 1588

143. Herr Jesu Christ, du höchstes Gut.

(Cant. 168. Thue Rechnung! Donnerwort. B. A. 33, 166.)

Dresden G. B. 1539.

Stärk' mich mit dei-nem Freu-den-geist, heil' mich mit dei-nen Wun — den,
wasch' mich mit dei-nem To-desschweiss in mei-nen letz-ten Stun — den,

und nimm mich einst, wenn dir's ge-fällt, im wah-ren Glau-ben

Aus — er-wähl — ten.

von der Welt zu dei nen Aus — er-wähl — ten.

8 Str. (Str. 8 des Liedes: Herr Jesu Christ, du höchstes Gut.)

Barth. Ringwaldt 1588.

144. Herr Jesu Christ, du höchstes Gut.

(Cant. 48. Ich elender Mensch, wer wird mich erlösen. B. A. 10, 298.)

Dresden G. B. 1593.

1. Herr Je _ su Christ, ich schrei zu dir aus hoch _ be _ trüb _ ter See _ le;
dein' Allmacht lass er _ schei _ nen mir und mich nicht al _ so quä _ le.
12. Herr Je _ su Christ, ei _ ni _ ger Trost, zu dir will ich mich wen _ den;
mein Herzleid ist dir wohl be _ wusst, du kannst und wirst es en _ den.

Viel grö _ sser ist die Angst und Schmerz, so an _ ficht und be _
In dei _ nen Wil _ len sei's ge _ stellt, mach's, lie _ ber Gott, wie

trübt mein Herz, als dass ich's kann er _ zäh _ _ len.
dir's ge _ fällt: dein bin und will ich blei _ _ ben.
(12 Str.)

? J. H. Schein's Cantional.

145. Herr Jesu Christ, mein's Lebens Licht. (B. A. 39 No 82.)

Sethus Calvisius 1594.
(Melodie des Rex Christe factor omnium)

O Je _ su, du mein Bräu _ ti _ gam, der du aus Lieb' am Kreuzesstamm für

Herr Je _ su Christ, mein's Le _ bens Licht, mein Hort, mein Trost, mein' Zu _ ver _ sicht, auf

12 Str. Joh. Heermann 1630.

mich den Tod ge _ lit _ ten hast, ge _ nom _ men weg der Sün _ den Last.

Er _ den bin ich nur ein Gast, und drückt mich sehr der Sün _ den Last.
(11 Str.)

M. Behm 1610.

146. Herr Jesu Christ, wahr'r Mensch und Gott. (B. A. 39 N⁰ 83.)

Poln. Cantional 1559.
Joh Eccard 1597.

Herr Je_su Christ, wahr'r Mensch und Gott, der du litt'st Marter, Angst und Spott, für mich am Kreuz auch end_lich starbst und mir dein's Va_ters Huld er_warbst.
(8 Str.)

P. Eber 1560.

147. Herr Jesu Christ, wahr'r Mensch und Gott.

(Cant. 127. Herr Jesu Christ, wahr'r Mensch und Gott. B. A. 26, 160.)

Franz. Psalmen
Genf 1555.

Ach Herr, vergieb all' uns_re Schuld, hilf dass wir war_ten mit Ge_duld, bis un_ser Stündlein kömmt her_bei, auch un_ser Glaub' stets wa_cker sei, dein'm Wort zu trau_en fe_stig_lich, bis wir ent_schla_fen se_lig_lich.

8 Str. (Str. 8 des Liedes: Herr Jesu Christ, wahr'r Mensch und Gott.)

P. Eber 1560.

100

148. Herr, nun lass in Friede. (B. A. 39 No. 84.)

Böhm. Brüder G. B. 1694.

Herr, nun lass in Frie- de, le- bens- satt und mü- de,
dei- nen Die- ner fah- ren zu den Him- mels- scha- ren,
se- lig und im Stil- len, doch nach dei- nem Wil- len. (10 Str.)

David Behme vor 1657.

149. Herr, straf' mich nicht in deinem Zorn. (B. A. 39 No. 85.)

J. Crüger 1640.

Herr, straf' mich nicht in dei- nem Zorn, das bitt ich dich von Her- zen,
sonst bin ich ganz und gar ver- lor'n, mit dir ist nicht zu scher- zen,

und züch_ge mich nicht in dein'm Grimm, weil ich so voll Be-

trüb_niss bin, und lei_de gro_sse Schmer_zen. (6 Str.)

? 1640.

150. Herr, wie du willst, so schick's mit mir.
(Aus tiefer Noth schrei' ich zu dir.)
(Cant. 156. Ich steh' mit einem Fuss im Grabe. B. A. 32, 114.)

Strassburger Kirchenamt 1525.

Herr, wie du will't, so schick's mit mir im Le_ben und im Ster_ben;
al_lein zu dir steht mein Begehr, Herr, lass mich nicht ver_der_ben!

Er halt' mich nur in dei_ner Huld, sonst, wie du will't, gieb

mir Ge_duld; dein Will' der ist der be_ste. (3 Str.)

Caspar Bienemann 1574.

151. **Herr, wie du willst, so schick's mit mir.** (B. A. 39 № 86.)

(Aus tiefer Noth schrei ich zu dir.)

Strassburg 1525.

Wer in dem Schutz des Höch_sten ist, und sich Gott thut er_ge_ben,
der spricht: du. Herr, mein' Zu_flucht bist, mein Gott, Hoffnung und Le_ben,

Herr, wie du willst, so schick's mit mir im Le_ben wie im Ster_ben,
al_lein zu dir steht mein Be_gehr, lass mich, Herr, nicht ver_der_ben.

der du ja wirst er_ret_ten mich von Teu_fels Stri_cken

Er_halt' mich nur in dei_ner Huld, sonst wie du willst, gieb

gnä_dig_lich und von der Pe_sti_len_ze.

(9 Str.) Sebald Heyden 1544.

mir Ge_duld, dein Will', der ist der be_ste.

(3 Str.)

Casp. Bienemann 1574.

152. **Herzlich lieb hab' ich dich, o Herr.** (B. A. 39 № 87.)

Pasch. Reinigius 1587.
B. Schmid, Tabulaturbuch 1577.

Herz_lich lieb hab' ich dich, o Herr, ich bitt', wollst sein von mir nicht fern mit
Die ganz Welt nicht er_freu_et mich, nach Himm'l und Erd' nicht fra_ge ich, wenn

dei_ner Huld und Gna_de. Und wenn mir gleich mein Herz zerbricht, so bist doch du mein'
ich nur, Herr, dich ha_be.

Zu_versicht, mein Heil und meines Herzens Trost, der mich durch sein Blut hat er_löst, Herr

Je_su Christ! Herr Je_su Christ, mein Gott und Herr! in Schanden lass mich nimmermehr. (3 Str.)

Martin Schalling 1571.

153. Herzlich lieb hab' ich dich, o Herr.

(Cant. 174. Ich liebe den Höchsten. B. A. 35, 157.)

Pasch. Reinigius 1587.
B Schmid Tabulaturbuch 1577.

Herz_lich lieb hab' ich dich, o Herr, ich bitt': woll'st sein von mir nicht fern mit
Die gan_ze Welt er_freut mich nicht, nach Himm'l und Er_de frag' ich nicht, wenn

Taille

dei_ner Hilf' und Gna_den.
ich dich nur kann ha_ben. Herr, wenn mir gleich mein Herz zerbricht, so bist du doch mein'

Zu_ver_sicht, mein Heil und meines Herzens Trost, der mich durch sein Blut hat erlöst. Herr

Je_su Christ, mein Gott und Herr, mein Gott und Herr, in Schanden lass mich nimmermehr.
(3 Str.)

Mart. Schalling 1571.

154. Herzlich lieb hab ich dich, o Herr.

(Johannes-Passion. B. A. 12 I, 131.)

Pasch. Reinigius 1587.
B. Schmids Tabulaturbuch 1577.

Ach Herr, lass dein lieb' En ge lein am letz ten End' die
Den Leib in sein'm Schlaf käm mer lein gar sanft, ohn ein ge

See le mein in A brahams Schooss tra gen; Als dann vom Tod er
Qual und Pein, ruhn bis am jüng sten Ta ge!

we cke mich, dass mei ne Au gen se hen dich in al ler Freud', o

Got tes Sohn, mein Hei land und Ge na denthron! Herr Je su Christ, er

hö re mich, er hö re mich: ich will dich preisen e wig lich.

3 Str. (Str. 3 des Liedes: Herzlich lieb.)

Martin Schalling 1571.

155. Herzlich lieb hab ich dich, o Herr.

(Cant. 149. **Man singet mit Freuden vom Sieg.** B. A. 30, 299.)

Pasch. Reinigius 1587.
B. Schmids Tabulaturbuch 1577.

Ach Herr, lass dein' lieb' En _ ge _ lein am letz _ ten End' die
den Leib in seïm Schlaf _ käm _ mer _ lein gar sanft, ohn' ein _ ge

See _ le mein in A _ brahams Schooss tra _ gen;
Qual und Pein, ruhn bis am jüng _ sten Ta _ ge.

Als _ dann vom Tod er _ we _ cke mich, dass mei _ ne Au _ gen se _ hen dich in al _ ler Freud', o

Got _ tes Sohn, mein Hei _ land und mein Gna _ denthron. Herr Je _ su Christ, er _

Trompeten.

hö _ re mich, er _ hö _ re mich: ich will dich preisen e _ wig _ _ lich.

3 Str. (Str. 3 des Liedes: Herzlich lieb hab' ich dich.)

Pauken.

Martin Schalling 1571.

156. Herzlich thut mich verlangen.

(Cant. 135. Ach Herr, mich armen Sünder. B.A. 28, 136.)

Hans Leo Hassler 1601.

1. Ach Herr mich ar - men Sün - der straf nicht in dei - nem Zorn;
dein'n ern - sten Grimm doch lin - der, sonst ist's mit mir ver - lor'n.
6. Ehr' sei in's Him - mels Thro - ne mit al - lem Ruhm und Preis'
dem Va - ter und dem Soh - ne, und auch zu glei - cher Weis'

Ach Herr, wollst mir ver - ge - ben mein Sünd' und gnä - dig sein, dass
dem heil' - gen Geist zu Eh - ren, in al - le E - wig - keit! der

ich mag e - wig le - ben, ent - flieh'n der Höl - len - pein.
woll uns' All'n be - sche - ren die ew' - ge Se - lig - keit!

6 Str. (In der B.A. nur die 6. Str.)

Cyriacus Schneegass 1597.

157. Herzlich thut mich verlangen. (B.A. 39., N? 18.)

H. L. Hassler 1601.

Be - fiehl du dei - ne We - ge, und was dein Her - ze kränkt,
der al - ler - treu - sten Pfle - ge des, der den Him - mel lenkt.

Der Wol - ken, Luft und Win - den gibt We - ge, Lauf und Bahn, der

wird auch We - ge fin - den, die dein Fuss ge - hen kann.

(12 Str.)

P. Gerhardt 1656.

158. Herzlich thut mich verlangen. (B. A. 39. No 19.)

H. L. Hassler 1601.

Be - fiehl du dei - ne We - ge, und was dein Her - ze kränkt,
der al - ler - treu - sten Pfle - ge des, der den Him - mel lenkt.

Der Wol - ken, Luft und Win - den gibt We - ge, Lauf und Bahn, der

wird auch We - ge fin - den, da dein Fuss ge - hen kann. (12 Str.)

P. Gerhardt 1656.

159. Herzlich thut mich verlangen.

(Matthäus-Passion. B. A. 4, 186.)

H. L. Hassler 1601.

Be - fiehl du dei - ne We - ge und was dein Her - ze kränkt,
der al - ler - treu - sten Pfle - ge des, der den Him - mel lenkt,

der Wol - ken, Luft und Win - den giebt We - ge, Lauf und Bahn, der

wird auch We - ge fin - den, da dein Fuss ge - hen kann. (12 Str.)

P. Gerhardt 1656.

160. Herzlich thut mich verlangen.

(Cant. 153. Schau, lieber Gott, wie meine Feind' B. A. 32, 46.)

H. L. Hassler 1601.

Und ob-gleich al-le Teu——fel dir woll-ten wi-der-stehn.
so wird doch oh-ne Zwei——fel Gott nicht zu-rü-cke gehn;

was er ihm für-ge-nom-men und was er ha-ben will, das

muss doch end-lich kom-men zu sei-nem Zweck und Ziel.

12 Str. (Str. 5 des Liedes: Befiehl du deine Wege.)

P. Gerhardt 1656.

161. Herzlich thut mich verlangen.

(Cant. 161. Komm, du süsse Todesstunde. B. A. 33, 27.)

H. L. Hassler 1601.

Flöte I u. II.

1* Herz-lich thut mich ver-lan——gen nach ei-nem sel-gen
weil ich hier bin um-fan——gen mit Trüb-sal und E-
4. Der Leib zwar in der Er——den von Wür-mern wird ver-
doch auf-er-weckt soll wer——den, durch Chri-stum schön ver-

End,———— Ich hab' Lust ab-zu-schei-den von
lend.————
zehrt,———— wird leuch-ten als die Son-ne und
klärt,————

* In der B. A. nur die 4. Str.

die ser ar gen Welt, sehn' mich nach ew' gen
le ben oh ne Noth in himml'scher Freud' und

Freu — den, o Je su, komm nur bald.
Won — ne. Was schad't mir dann der Tod?

(11 Str.)

Christoph Knoll 1399.

162. Herzlich thut mich verlangen.

(Matthäus-Passion. B. A. 4, 214.)

H. L. Hassler 1601.

1. O Haupt voll Blut und Wun — den, voll Schmerz und vol — ler Hohn!
   O Haupt, zu Spott ge — bun — den mit ei — ner Dor — nen — kron'!
2. Du ed — les An — ge — sich — te, vor dem sonst schrickt und scheut
   das gro — sse Welt — ge — rich — te, wie bist du so be — speit.

O Haupt, sonst schön ge — zie — ret mit höch — ster Ehr' und Zier, jetzt
Wie bist du so er — blei — chet, wer hat dein Au — gen — licht, dem

a — ber hoch schim — pfi — ret: ge — grü — sset seist du mir!
sonst kein Licht nicht glei — chet, so schänd — lich zu — ge — richt't?

(10 Str.)

P. Gerhardt 1656.

163. Herzlich thut mich verlangen.

(Matthäus-Passion. B. A. 4, 51 u. 53.)

H. L. Hassler 1601.

5. Er_ken_ne mich, mein Hü_ter, mein Hir_te, nimm mich an,
von dir; Quell al_ler Gü_ter, ist mir viel Gut's ge_than.
6. Ich will hier bei dir ste_hen; ver_ach_te mich doch nicht!
(In Es dur.) Von dir will ich nicht ge_hen, wenn dir dein Her_ze bricht.

Dein Mund hat mich ge_la_bet mit Milch und sü_sser Kost, dein
Wann dein Herz wird er_blas_sen im letz_ten To_des_stoss, als_

Geist hat mich be_ga_bet mit man_cher Him_mels_lust.
dann will ich dich fas_sen in mei_nen Arm und Schooss.

10 Str. (Str. 5 u. 6 des Liedes: O Haupt voll Blut und Wunden.)

P. Gerhardt 1656.

164. Herzlich thut mich verlangen.

(Matthäus-Passion. B. A. 4, 248.)

H. L. Hassler 1601.

Wenn ich ein_mal soll schei_den, so schei_de nicht von mir!
Wenn ich den Tod soll lei_den, so tritt du dann her_für!

Wenn mir am al _ ler _ bäng _ sten wird um das Her _ ze sein, so

reiss mich aus den Äng _ sten kraft dei _ ner Angst und Pein!

10 Str. (Str. 9 des Liedes: O Haupt voll Blut und Wunden.)

P. Gerhardt 1656.

165. Herzlich thut mich verlangen.

(Weihnachts - Oratorium. B. A. 5 II, 36.)

H. L. Hassler 1601.

Wie soll ich dich em _ pfan _ gen, und wie be _ gegn' ich dir?
o al _ ler Welt Ver _ lan _ gen, o mei _ ner See _ len Zier!

Cont.

O Je _ su, Je _ su! se _ _ tze mir selbst die Fa _ ckel bei, da _

mit, was dich er _ gö _ tze, mir kund und wis _ send sei.

(10 Str.)

P. Gerhardt 1653.

166. Herzliebster Jesu, was hast du verbrochen.

(Matthäus-Passion. B. A. 4, 23.)

Joh. Crüger 1640.

Herz-liebster Je-su, was hast du ver-brochen, dass man ein solch hart Urtheil hat ge-sprochen? Was ist die Schuld, in was für Misse-tha-ten bist du ge-ra-then?

(15 Str.)

Joh. Heermann 1630.

167. Herzliebster Jesu, was hast du verbrochen.

(Matthäus-Passion. B. A. 4, 192.)

Joh. Crüger 1640.

Wie wun-der-bar-lich ist doch die-se Stra-fe! der gu-te Hir-te lei-det für die Scha-fe; die Schuld be-zahlt der Her-re, der Ge-rech-te, für sei-ne Knech-te!

15 Str. (Str. 4 des Liedes: Herzliebster Jesu.)

Joh. Heermann 1630.

168. Herzliebster Jesu, was hast du verbrochen.

(Johannes-Passion. B. A. 12 I, 17.)

Joh. Crüger 1640.

O grosse Lieb', o Lieb' ohn' al-le Maasse, die dich gebracht auf die-se Marter-
stra-sse! Ich leb-te mit der Welt in Lust und Freu_den, und du musst lei_den!

Cont.

15 Str. (Str. 7 des Liedes: Herzliebster Jesu.)

Joh. Heermann 1630.

169. Herzliebster Jesu, was hast du verbrochen.

(Johannes-Passion. B. A. 12 I, 52.)

Joh. Crüger 1640.

8. Ach, gro-sser Kö_nig, gross zu al_len Zei_ten, wie
9. Ich kanns mit mei_nen Sin_nen nicht er_rei_chen, wo-

Cont.

kann ich g'nugsam die_se Treu' aus_brei_ten? Kein's Men_schen Her_ze
mit doch dein Er_bar_men zu ver_glei_chen. Wie kann ich dir denn

mag in_dess aus_den_ken, was dir zu schen_ken.
dei_ne Lie_bes_tha_ten im Werk er_stat_ten?

15 Str. (Str. 8 u. 9 des Liedes: Herzliebster Jesu.)

Joh. Heermann 1630.

170. Heut' ist o Mensch, ein grosser. (B.A. 39. No 88.)

M. Apelles v. Löwenstern 1644.

*) Heut' ist, o Mensch, ein grosser Trau-er-tag, an wel-chem un-ser
Heut' stirbet Gott, wer ist, der solch's be-denkt? Das Le-ben selbst heut
Komm! meine Seel', und tritt zum Kreuz her-bei, zu hö-ren was des

Hei-land gro-sse Plag' er-lit-ten hat, und todt dar-nie-der lag.
an dem Kreu-ze hängt und sich für uns zum Sün-den-o-pfer schenkt.
To-des Ur-sach sei, und tra-ge drob von Her-zen Leid und Reu.

(3 Str; mit Christi Rede am Kreuz 13 Str)

A. v. Löwenstern 1644.

171. Heut' triumphiret Gottes Sohn. (B.A. 39. No 89.)

Bartholomäus Gesius 1601.

Heut trium-phi-ret Got-tes Sohn, der von dem Tod er-stan-den schon, Hal-

le-lu-ja, hal-le-lu-ja! mit grosser Pracht und Herr-lich-keit,

des dank'n wir ihm in E-wig-keit. Hal-le-lu-ja, hal-le-lu-ja!

(6 Str.)

Basilius Förtsch 1601.

*) In der B.A. nur die 1. Str. Vergl. No 303.

172. Hilf, Gott, dass mir's gelinge. (B. A. 39. N? 90.)

Praxis pietatis 1653.

Hilf, Gott, dass mir's, ge - lin - ge, du ed - ler Schö - pfer
die Wort' in Reim zu brin - gen, zu Lob dem

Schö - pfer mein, dass ich mag fröh - lich he - ben an, von dei - nem
Na - men dein,

Wort zu sin - gen, Herr, du wollst mir bei - stahn. (13 Str.)

Heinr. Müller von Zütphen. vor 1531.

173. Hilf, Herr Jesu, lass gelingen. (B. A. 39. N? 91.)

J. Schop 1642.

Hilf, Herr Je - su, lass ge - lin - gen, hilf, das neu - e Jahr geht an,

lass es neu - e Kräf - te brin - gen, dass auf's neu' ich wan - deln kann.

Neu - es Glück und neu - es Le - ben wollst du mir aus Gna - de ge - ben. (16 Str.)

Joh. Rist 1642.

174. Ich bin ja, Herr, in deiner Macht. (B. A. 39, № 92.)

Joh Seb. Bach. ?

in dei — — ner Macht,
meiner Mon — — den Zahl,

andas Licht
diesem Jam-

Ich bin ja, Herr, in dei — ner Macht, du hast mich an das
du ken — nest mei — ner Mon — den Zahl,weisst, wann ich die — sem

Licht ge — bracht, und du er — hältst mir auch das Le — — ben,
Jam — mer — thal auch wie — der gu — te Nacht soll ge — — ben.

ich ster — — ben soll,

Wo, wie und wann ich ster — ben soll, das weisst du, Va — ter, mehr als wohl.

(5 Str.)

Simon Dach vor 1648.

175. Ich dank' dir, Gott, für all' Wohlthat. (B. A. 39, № 93.)

Cyr. Spangenberg 1568.
Eisleben. G. B. 1598.

Ich dank' dir, Gott für all' Wohl — that, dass du uns hast so

gnä — dig — lich die Nacht be — hüt't durch dei — ne

Güt', und bitt' nun fort, ach Gott, mein Hort, vor Sünd' und G'fahr mich

Bö - ses wi - - der

heut' be - wahr', dass mir kein Bö - - ses wi - der fahr.

(3 Str.)

J. Freder 1552.

176. Ich dank' dir, lieber Herre. (B. A. 39, N⁰ 94.)

J. K. Horn 1544.
Praxis piet 1662.

Ich dank' dir, lie - ber Her - re, dass du mich hast bewahrt
in die - ser Nacht Ge - fäh - re, da - rin ich lag so hart

mit Fin - ster - niss um - fan - gen, da - zu in gro - sser Noth, da -

raus ich bin ent - gan - gen, halfst du mir Her - - re Gott!

(9 Str.)

Joh. Kolrose 1535.

177. Ich dank' dir, lieber Herre. (B. A. 39, № 95.)

J. K. Horn 1544.
Praxis piet 1662.

Ich dank' dir, lie—ber Her—re, dass du mich hast be—wahrt in dieser
Nacht Ge—fäh—re, da—rin ich lag so hart

mit Fin—ster—niss um—fan—gen, da—zu in gro—sser Noth, da—

raus ich bin ent—gan—gen, halfst du mir, Her—re Gott.

(9 Str.)

Joh. Kolrose 1535.

178. Ich dank' dir, lieber Herre.
(Cant. 37. Wer da glaubet und getauft wird. B. A. 7, 282.)

J. K. Horn 1544.
Praxis piet 1662.

Den Glauben mir ver—lei—he an dein'n Sohn, Je—sum Christ, mein'

Sünd mir auch ver—zei—he all hier zu die—ser Frist.

Du wirst mir's nicht ver _ sa _ gen, was du ver _ hei _ ssen hast, dass

er mein' Sünd thu' tra _ gen und lös' mich von ____ der Last.

9 Str. (Str. 4 des Liedes: Ich dank dir, lieber Herre.)

· mich von

Joh. Kohlrose 1535.

179. Ich dank' dir schon durch deinen Sohn. (B. A. 39, № 96.)

Mich. Praetorius 1610.

Ich dank' dir schon durch dei _ nen Sohn, o Gott, für

dei _ ne Gü _ _ te, dass du mich heut in

die _ ser Nacht so gnä _ dig hast be _ hü _ _ tet.

(8 Str.)

Zach. Berwaldt G. B. Leipzig 1582.

180. Ich danke dir, o Gott, in deinem Throne. (B.A.39,N?97.) Franz.Psalmen,Genf 1555.

Ich dan_ke dir, o Gott, in dei_nem Thro_ne, durch

Je_sum Chri_stum, dei_nen lie_ben Soh_ne, dass

du mich hast in die_ser Nacht be_wah_ret vor Scha_den und vor

man_cher_lei Ge_fah_ren, und bit_te dich, wollst mich an die_sem

Ta_ge be_hü_ten auch vor Sün_den, Schand'und Pla_ge.

(5 Str.)

Joh. Krüger G. B. 1640.

181. Ich freue mich in dir.

Mel. vor Bach nicht nachzuweisen.
Joh. Balth. König 1738.

(Cant. 133. Ich freue mich in dir. B. A. 28, 80.)

1. Ich freu-e mich in dir und hei-sse dich will-kom-men,
mein lieb-stes Je-su-lein; du hast dir vor-ge-nom-men
4. Wohl-an! so will ich mich an dich, o Je-su, hal-ten,
und soll-te gleich die Welt in tau-send Stü-cke spal-ten.

mein Brü-der-lein zu sein. Ach, wie ein sü-sser Ton! Wie
O Je-su! dir, nur dir, dir leb' ich ganz al-lein, auf

freund-lich sieht er aus, der hol-de Got-tes-sohn.
dich, al-lein auf dich, o Je-su, schlaf' ich ein!

4 Str. (Str. 1 u. 4 In der B. A. nur die 2. Str.)

Caspar Ziegler 1648.

182. Ich hab' mein' Sach' Gott heimgestellt. (B. A. 39, No 38.)

Cassel G. B. 1601.

Ich hab' mein' Sach' Gott heim-gestellt, er mach's mit mir, wie's ihm ge-fällt, soll

ich all hier noch län-ger leb'n, nicht wi-derstreb'n, sei'm Will'n thu ich mich ganz er-geb'n.

(18 Str.)

Joh. Leon um 1589.

183. Ich ruf' zu dir, Herr Jesu Christ.

(Cant. 177. Ich ruf' zu dir Herr Jesu Christ. B. A. 35, 234.)

Jos. Klug G. B. 1535.

1. Ich ruf' zu dir, Herr Je _ su Christ, ich bitt', er _ hör' mein Kla _ gen,
ver _ leih' mir Gnad' zu die _ ser Frist, lass mich doch nicht ver _ za _ gen.
5. Ich lieg' im Streit' und wi _ der _ streb', hilf, o HerrChrist, dem Schwa _ chen!
An dei _ ner Gnad' al _ lein ich kleb', du kannst mich stär _ ker ma _ chen.

Cont.

Den rech _ ten Weg, o Herr, ich mein', den wol _ lest du mir
Kömmt nun An _ fech _ tung, Herr, so wehr, dass sie mich nicht um _

ge _ ben, dir zu le _ ben, mein'm Näch _ sten
sto _ sse. Du kannst ma _ ssen, dass mir's nicht

nütz zu sein, dein Wort zu hal _ ten e _ ben.
bring' Ge _ fahr; ich weiss, du wirst's nicht las _ sen.

5 Str. (In der B. A. nur die 5 Str.)

Joh. Agricola vor 1530.

184. Ich ruf' zu dir, Herr Jesu Christ.

(Cant. 185. Barmherziges Herze der ewigen Liebe. B. A. 37, 118.)

Jos. Klug G. B. 1535.

Violine

Ich ruf' zu dir, Herr Je _ su Christ, ich bitt, er _ hör mein Kla _ gen;
ver _ leih mir Gnad zu die _ ser Frist, lass mich doch nicht ver _ za _ gen!

Den rech-ten Glauben, Herr, ich mein, den wol-lest du mir ge-ben, dir zu

le - ben, mei'm Nächsten nutz zu sein, dein Wort zu hal-ten e - ben.
(5 Str.)

Joh. Agricola vor 1530.

185. Jesu, der du meine Seele. (B. A. 39, N⁰ 99.)

Praxis piet 1662.

Je - su, der du meine See - le hast durch dei - nen bit - tern Tod
aus des Teu - fels fin - strer Höh - le und der schweren Sün den - noth

kräf - tig - lich her - aus - ge - ris - sen und mich Sol - ches las - sen wis - sen

durch dein an - ge - neh - mes Wort: sei doch itzt. o Gott, mein Hort.
(12 Str)

Joh. Rist 1641.

186. Jesu, der du meine Seele. (B. A. 39. No. 100.)

Praxis piet. 1662.

Je _ su, der du | mei _ ne See | le hast durch | dei _ nen bit _ tern | Tod
aus des Teufels | fin _ strer Höh | le und der | schweren Sün _ den _ | noth

kräf _ tig _ lich her _ | aus _ ge _ ris _ | sen und mich | Sol _ ches las _ sen

wis _ sen | durch dein an _ ge _ | neh _ mes Wort: | sei doch itzt, o | Gott, mein Hort.
(12 Str.)

Joh. Rist. 1641.

187. Jesu, der du meine Seele. (B. A. 39. No. 101.)

Praxis piet. 1662.

Je _ su, der du | mei _ ne See _ le | hast durch dei _ nen | bit _ tern Tod
aus des Teufels | fin _ strer Höh _ le | und der schweren | Sün _ den _ noth

kräf _ tig _ lich her _ | aus _ ge _ ris _ sen | und mich Sol _ ches | las _ sen wis _ sen

durch dein an_ge_neh_mes Wort: sei doch itzt, o Gott, mein Hort.
(12 Str.)

Joh. Rist. 1641.

188. Jesu, der du meine Seele.

(Cant. 78. Jesu, der du meine Seele. B. A. 18, 286.) Praxis piet. 1662.

Herr! ich glau_be, hilf mir Schwachen, lass mich ja ver_za_gen nicht;
Cont.

du, du kannst mich stär_ker ma_chen, wenn mich Sünd' und Tod an_ficht.

Dei_ner Gü_te will ich trau_en, bis ich fröh_lich wer_de schau_en

dich, Herr Je_su, nach dem Streit in der sü_ssen E_wig_keit.
12 Str. (Str. 12 d. Liedes: Jesu, der du meine Seele.)

Joh. Rist. 1641.

189. Jesu, der du selbst so wohl. (B. A. 39. No. 102.)

Kirchen= u. Hausmusik.
Breslau o. J. (1668?)

Je _ su, der du selbst so wohl hast den Tod ge _ schme _ cket,

hilf mir, wenn ich ster _ ben soll, wenn der Tod mich schre _ cket:

Wenn mich mein Ge _ wis _ sen nagt und die Sün _ den pla _ gen,

wenn der Sa _ tan mich ver _ klagt, lass mich nicht ver _ za _ gen. (Str.)

Mich. Bapzien, um 1656.

190. Jesu, du mein liebstes Leben. (B. A. 39. No 103.)

Joh. Schop. 1642.

Je _ su, du____ mein lieb _ stes Le _ ben, mei _ ner See _ len
der du bist____ für mich ge _ ge _ ben an des bit _ tern

Bräu - ti - gam, Je - su, mei - ne Freud' und Won - ne, du mein
Kreu - zes Stamm, Hirt und Kö - nig, Licht und Son - ne, ach, wie

Hoff - nung, Schatz und Heil, mein' Er - lö - sung, Schmuck und Heil,
soll ich wür - dig - lich, mein Herr Je - su, prei - sen dich?
(13 Str.)

Joh. Rist. 1642.

191. Jesu, Jesu, du bist mein. (B. A. 39. No. 104.)

Wahrscheinlich von Bach
Schemelli G. B. 1736.

Je - su, Je - su, du bist mein, weil ich muss auf Erden wallen; lass mich ganz dein

ei - gen sein; lass mein Le - ben dir ge - fallen. Dir will ich mich ganz er - geben,

und im To - de an dir kleben, dir ver - traue ich al - lein, Je - su, Je - su, du bist mein.
(4 Str.)

Meiningen G. B. 1697.

192. Jesu Leiden, Pein und Tod. (Johannes-Passion. B. A. 12 I, 39.)

Melch. Vulpius. 1609.

Petrus, der nicht denkt zurück, seinen Gott ver _ nei _ net, der doch auf ein'n

Cont.

ernsten Blick bitter _ li _ chen wei _ net: Je _ su, bli _ cke mich auch an, wenn ich nicht will

bü _ ssen; wenn ich Bö _ ses hab' gethan, rüh _ re mein Ge _ wis _ sen.

34 Str. (Str. 10 des Liedes: Jesu Leiden, Pein und Tod.)

Paul Stockmann, vor 1636.

193. Jesu Leiden, Pein und Tod. (Johannes-Passion. B. A. 12 I, 103.)

Melch. Vulpius. 1609.

Er nahm Al _ les wohl in Acht in der letzten Stun _ de, sei _ ne Mutter

noch bedacht, setzt' ihr ein'n Vor _ mun _ de. O Mensch, mache Richtigkeit, Gott und Menschen

lie _ be, stirb da _ rauf ohn' al _ les Leid, und dich nicht be _ trü _ be.

34 Str. (Str. 20 des Liedes: Jesu Leiden, Pein und Tod.)

Paul Stockmann, vor 1636.

194. Jesu Leiden, Pein und Tod.

(Cant. 159. Sehet, wir geh'n hinauf gen Jerusalem. B. A. 32, 168.)

Melch. Vulpius. 1609.

1. Je _ su Leiden, Pein und Tod, Je _ su tie _ fe Wun _ den,
33. Je _ su, dei _ ne Pas _ si _ on ist mir lau _ ter Freu _ de,

Cont.

ha _ ben Menschen, die nur Koth, heil _ sam _ lich ver _ bun _ den.
dei _ ne Wun _ den, Kron' und Hohn mei _ nes Herzens Wei _ de;

Men _ schen, die nur Koth,
Wun _ den, Kron' und Hohn

Men _ schen, schafft die Sün _ de ab, wir sind Chri _ sten wor _ den,
mei _ ne Seel' auf Ro _ sen geht, wenn ich dran ge _ den _ ke,

sol _ len kom _ men aus dem Grab in der En _ gel Or _ den.
in dem Him _ mel ei _ ne Stätt' mir des _ we _ gen schen _ ke.

34 Str. (Str. 33 des Liedes: Jesu Leiden, Pein und Tod.)

Paul Stockmann, vor 1636.

195. Jesu, meine Freude. (B. A. 39. N⁰ 105.) Joh. Crüger. Praxis piet. 1653.

Je _ su, mei _ ne Freu _ de, mei _ nes Her _ zens Wei _ de,
ach wie lang', ach lan _ ge ist dem Her _ zen ban _ ge,

Je _ su, mei _ ne Zier. Got _ tes Lamm, mein Bräuti _ gam, au _ sser dir soll
und ver _ langt nach dir.

mir auf Er _ den nichts sonst lie _ bers wer _ _ den.
(6 Str.)

Joh. Franck. 1653.

196. Jesu, meine Freude. (Motette. Jesu, meine Freude. B. A. 39, 61 u. 84.) Joh. Crüger. 1653.

1. {Je _ su, mei _ ne Freu _ de, mei _ nes Her _ zens Wei _ de,
{ach wie lang', ach lan _ ge ist dem Her _ zen ban _ ge
6. {Weicht, ihr Trau _ er _ gei _ ster, denn mein Freu _ den _ mei _ ster,
{De _ nen, die Gott lie _ ben, muss auch ihr Be _ trü _ ben

Je_su, mei_ne Zier!
und ver_langt nach dir!
Je_sus, tritt her_ein.
lau_ter Zu_cker sein.

Got_tes Lamm, mein Bräu_ti_gam,
Duld'ich schon hier Spott und Hohn,

au_sser dir soll mir auf Er_den nichts sonst Lie_bers wer_den.
den_noch bleibst du auch im Lei_de, Je_su, mei_ne Freu_de.
(6 Str.)

Joh. Franck. 1653.

197. Jesu, meine Freude. (Cant. 81. Jesus schläft, was soll ich hoffen? B. A. 20 I, 24.)

Joh. Crüger. 1653.

Un_ter dei_nen Schir_men bin ich vor den Stür_men
Lass den Sa_tan wit_tern, lass den Feind er_bit_tern,

al_ler Fein_de frei.
mir steht Je_sus bei.

Ob es jetzt.gleich kracht und blitzt,

ob_gleich Sünd' und Höl_le schre_cken: Je_sus will mich de_cken.
6 Str. (Str. 2 des Liedes: Jesu meine Freude.)

Joh. Franck. 1653.

198. Jesu, meine Freude. (Motette. Jesu, meine Freude. B. A. 39, 66.) Joh. Crüger. 1653.

Sopr. I u. II.

Un_ter dei_nem Schir_men bin ich vor den Stür_men al_ler Feinde frei;
lass den Sa_tan wit_tern, lass den Feind er_bit_tern, mir steht Je_sus bei!

Alt.

Ten.

Bass.

Ob es itzt gleich kracht und blitzt,

Ob es itzt gleich kracht, gleich kracht und blitzt, ob_gleich Sünd' und

Ob es itzt gleich kracht und blitzt, kracht und blitzt, ob_gleich Sünd' und

Ob es itzt gleich kracht und blitzt, ob_ _gleich Sünd' und

Höl_le schre_ _cken: Je_sus will mich de_ _ _cken!

6 Str. (Str. 2 d. Liedes: Jesu, meine Freude.)

Joh. Frank. 1653.

199. Jesu, meine Freude. (Motette. Jesu, meine Freude. B. A. 39, 75.) Joh. Crüger. 1653.

Sopr.

Weg mit al_len Schä_ _ _tzen,
Weg, ihr eit_len Eh_ _ _ren,

Alt.

Weg, weg mit al_ _len Schä_ _tzen, mit al_len
Weg, weg ihr eit_ _len Eh_ _ren, ihr eit_len

Ten.

Weg, weg, weg, weg mit al_len Schä_ _tzen, mit al_len
Weg, weg, weg, weg, ihr eit_len Eh_ _ren, ihr eit_len

Bass.

Weg, weg, weg, weg mit al_len Schä_tzen,
Weg, weg, weg, weg, ihr eit_len Eh_ren,

du bist mein Er_gö_tzen, Je_su, mei_ne Lust!
ich mag euch nicht hö_ren, bleibt mir un_bewusst!

Schätzen, du, du bist mein Er_gö_tzen, Je_su, mei_ne Lust, meine Lust!
Eh_ren, ich, ich mag euch nicht hö_ren, bleibt mir un_be_wusst, un_bewusst!

Schätzen, du, du bist mein Er_gö_tzen, Je_su, mei_ne Lust!
Eh_ren, ich, ich mag euch nicht hö_ren, bleibt mir un_be_wusst!

du, du bist mein Er_gö_tzen, Je_su, Je_su, mei_ne Lust, meine Lust!
ich, ich mag euch nicht hö_ren, bleibt mir, bleibt mir un_be_wusst, un_bewusst!

E_lend, Noth, Kreuz, Schmach und Tod soll mich, ob ich

E_lend, Noth, Kreuz, Schmach und Tod, Schmach und Tod soll mich, ob

E_lend, Noth, Kreuz, Schmach und Tod, Schmach und Tod soll mich, ob ich viel

E_lend, Noth, Kreuz, Schmach und Tod soll mich, ob ich viel muss

viel muss lei_den, nicht von Je_su schei_den.

6 Str. (Str. 4 d. Liedes: Jesu, meine Freude.)

_ich viel muss lei_den, nicht, nicht von Je_su schei_den.

_muss lei_den, nicht, nicht von Je_su schei_den, von Je_su scheiden.

lei_den, nicht, nicht, nicht, nicht von Je_su schei_den.

Joh. Franck. 1653.

134

200. Jesu, meine Freude.
(Cant. 64. Sehet, welch' eine Liebe. B. A. 16, 132.)

Joh. Krüger 1653.

Gu_te Nacht, o We_sen, das die Welt er_
Gu_te Nacht, ihr Sün_den, blei_bet weit da_

le_sen! mir ge_fällst du nicht. Gu_te Nacht, du Stolz und Pracht!
hin_ten, kommt nicht mehr an's Licht!

dir sei ganz, o La_ster_le_ben, gu_te Nacht ge_ge_ben!

6 Str. (Str. 5 des Liedes: Jesu, meine Freude.)

Joh. Frank 1653.

201. Jesu, meine Freude.
(Cant. 87. Bisher habt ihr nicht gebeten. B. A. 20 I, 152.)

Joh. Crüger 1653.

1. Se_lig ist die See_le, die in ih_rer Höh_le,
   Du wirst sie um_ar_men, und mit Trost er_war_men,
9. Muss ich sein be_trü_bet? so mich Je_su lie_bet,
   ü_ber Ho_nig sü_sse, tau_send Zu_cker küs_se,

dich, o Je su, liebt: du bist ihr Licht, Heil und Zier,
wenn sie ist be trübt; Wenn die Pein sich stel let ein,
ist mir al ler Schmerz
drü cket er an's Herz.

ih res Her zens süsse Wei de, Le ben Schatz und Freu de.
sei ne Lie be macht zur Freu den auch das bitt' re Lei den.

9 Str. (Str. 1 u. 9. In der B. A. nur die 9. Str.)

Heinr. Müller 1659.

202. Jesu, meines Herzens Freud'. (B. A. 39 Nº 108.)

Melodie von J. R. Ahle.
Joh. Flitner 1661.

Je su, mei nes Her zens Freud', süsser Je su! Mei ner

See len Se lig keit, süsser Je su! Des Ge mü thes

Si cher heit, süsser Je su! Je su, süsser Je su!
(5 Str.)

J. Flitner 1661.

203. Jesu, nun sei gepreiset. (B. A. 39 № 109.)

Weihnachtslieder. Wittenberg 1591.

Je - su, nun sei ge - prei - set zu die - sem neu - en Jahr, für
Dass wir ha - ben er - le - bet die neu' fröh - li - che Zeit, die

dein' Güt', uns be - wei - set in al - ler Noth und G'fahr:
vol - ler Gna - den schwe - bet und ew' - ger Se - lig - keit.

Das wir in gu - ter Stil - le das alt' Jahr hab'n er - fül - let. Wir

woll'n uns dir er - ge - ben jetzt und und im - mer - dar: be - hüt' uns

Leib und Le - ben hin fort das gan - ze Jahr! be -

hüt' uns Leib und Le - ben hin fort das gan - ze Jahr!
(3. Str.)

Joh. Hermann, Senior 1591.

204. Jesu, nun sei gepreiset.

(Cant. 41. Jesu, nun sei gepreiset. B. A. 10, 58
Cant. 171. Gott, wie dein Name. B. A. 35, 32. (in D dur))

Wittenberg 1591.

Dein ist al_lein die Eh _ re, dein ist al _ lein der Ruhm;
bis wir fröhlich ab _ schei _ den in's e _ wig' Himmel _ reich,

Ge _ duld im Kreuz uns leh _ re, re _ gier' all un _ ser Thun,
zu wah _ rem Fried' und Freu _ de, den Heil'gen Got _ tes gleich.

In _ dess mach's mit uns Al _ len nach dei_nem Wohlge _ fal _ len: solch's

sin _ get heut ohn' Scher _ zen die christ_gläu _ bi _ ge Schaar, und

wünscht mit Mund und Her _ zen ein se _ lig's neu _ es Jahr,_ und

wünscht mit Mund und Her _ zen ein se_lig's neu _ es Jahr.

3 Str. (Str. 3 des Liedes: Jesu, nun sei gepreiset.)

Joh. Hermann, Senior 1591.

205. Jesu, nun sei gepreiset.

Wittenberg. 1591.

(Cant. 190. Singet dem Herrn ein neues Lied. B. A. 37, 257.)

Lass uns das Jahr voll_brin_gen zu Lob dem Na_men dein, dass
wollst uns das Le_ben fri_sten durch dein all_mäch_tig Hand, er_

wir dem_sel_ben sin_gen in der Chri_sten Ge_mein;
halt' dein' lie_ben Chri_sten und un_ser Va_ter_land.

Dein'n Se_gen zu uns wen_de, gieb Fried' an al_lem En_de;

gieb un_ver_fälscht im Lan_de dein se_lig ma_chend Wort,
die Heuchler mach' zu Schan_de hier und an al_lem Ort,

die Heuch_ler mach' zu Schan_de hier und an al_lem Ort.

3 Str. (Str. 2 des Liedes: Jesu, nun sei gepreiset.)

Joh. Hermann, Senior 1594

206. Jesus Christus, unser Heiland. (B. A. 39 № 110.)

Erfurter Enchiridion 1524.

Je_sus Chri _ stus, un_ser Hei _ land, der von uns den Got_tes_zorn

_ wand, durch das bittre Lei _ den sein half er uns aus der Höl _ len_pein.

(10 Str.)

M. Luther 1524.

207. **Jesus Christus, unser Heiland, der den Tod.** (B. A. 39 No. 111.)

Jos. Klug G. B. 1535.

Je - sus Chri - stus un - ser Hei - land, der
den Tod ü - ber - wand, ist auf - er - stan - den, die
Sünd hat er ge - fan - gen, Ky - rie e - le - i - son.
(8 Str.)

M. Luther 1524.

208. Jesus, meine Zuversicht. (B. A. 39 No. 112.)

Joh. Krüger, Prax. piet. 1653.

Je - sus mei - ne Zu - ver - sicht und mein Hei - land ist im Le - ben:
Die - ses weiss ich, soll ich nicht da - rum mich zu - frie - den ge - ben?

Was die lan - ge To - des - nacht mir auch für Ge - dan - ken macht.
(10 Str.)

Luise Henriette, Kurfürstin von Brandenburg ? 1653.

209. Jesus, meine Zuversicht.

(Cant. 145. So du mit deinem Munde bekennest Jesum. B. A. 30, 95.)

Joh. Krüger 1653.

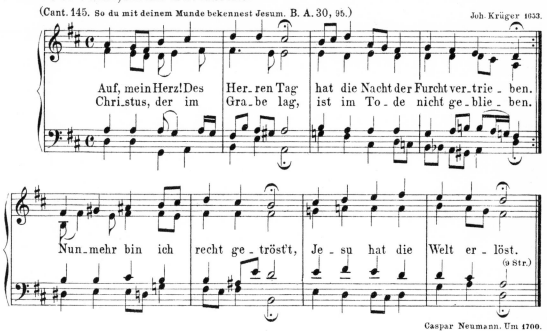

Auf, mein Herz! Des Her_ren Tag hat die Nacht der Furcht ver_trie_ben.
Chri_stus, der im Gra_be lag, ist im To_de nicht ge_blie_ben.
Nun_mehr bin ich recht ge_tröst't, Je_su hat die Welt er_löst.

(9 Str.)

Caspar Neumann. Um 1700.

210. Ihr Gestirn', ihr hohlen Lüfte. (B. A. 39 № 113.)

Chr. Peter 1655.

Ihr Ge_stirn', ihr hoh_len Lüf_te, und du,
tie_fes Rund, ihr dunk_len Klüf_te, die der
lich_tes Fir_ma_ment; Jauch_zet fröh_lich,
Wie_der_hall zer_trennt.
lasst das Sin_gen jetzt bis durch die Wol_ken drin_gen,

(9 Str.)

Joh. Frank 1655.

211. In allen meinen Thaten. (B. A. 39 № 114.)

Joh. Quirsfeld 1679.
Gottfried Vopelius G. B. 1682.

In al_len mei_nen Tha _ ten lass' ich den Höch_sten ra _ then, der
Al _ les kann und hat; er muss zu al _ len Din _ gen, solls
an _ ders wohl ge _ lin _ gen, selbst ge _ ben Rath und That.

9 (Orig. 15) Str.

Paul Fleming 1633.

212. In dich hab ich gehoffet, Herr.

(Cant. 52. Falsche Welt, dir trau ich nicht. B. A. 12 II, 50.)

Sethus Calvisius 1594

2 Hörner.

In dich hab ich ge _ hof ge_hof_fet, fet, Herr: hilf, dass ich nicht zu
Schan_den werd, noch e _ wig_lich zu Spot _ te. Das bitt ich dich:

Treu, Herr Got te!

er hal_te mich in dei_ner Treu, Herr Got te!

(7 Str.)

Adam Reusner 1533.

213. In dich hab' ich gehoffet, Herr.

(Matthäus-Passion. B. A. 4, 151.)

Sethus Calvisius 1594.

Mir hat die Welt trüg_lich ge-

richt't mit Lü_gen und mit fal_schem G'dicht, viel Netz' und

heim_lich Stri_cken. Herr, nimm mein wahr in die_ser

G'fahr, b'hüt' mich vor fal_schen Tü_cken.

7 Str. (Str. 5 des Liedes: In dich hab' ich gehoffet, Herr.)

Adam Reusner 1533.

214. In dich hab' ich gehoffet, Herr.

(Weihnachts Oratorium. B. A. 5 II, 190.)

Sethus Calvisius 1594.

1. Nun lie_be Seel', nun ist es Zeit, wach' auf, er_wäg' mit Lust und Freud', was Gott an uns ge_wen_det: Sein'n lie_ben Sohn vom Himmels Thron in's Jammer_thal er sen_det.

5. Dein Glanz all' Fin_ster_niss ver_zehrt, die trü_be Nacht in Licht ver_kehrt: Leit' uns auf dei_nen We_gen, dass dein Ge_sicht und herrlich's Licht wir e_wig schau_en mö_gen.

5 Str. (Str. 1 u. 5. In der B. A. nur die 5. Str.)

Georg Weissel 1642.

215. In dulci jubilo. (B. A. 39. No 115.)

Jos. Klug G. B. 1535.

In dul_ci ju_bi_lo sin_get und seid froh, un_sers Her_zens Won_ne liegt in prae_se_pi_o

leuch_tet als die Son - - ne ma_tris in pre mi o

Al _ pha es et O,_____ Al _ pha es et O. (4 Str.)

11. od. 15. Jahrhundert.

216. Ist Gott mein Schild und Helfersmann.

(Cant. 58. Ich bin ein guter Hirt. B. A. 20 I, 118.)

Hundert... Arien. Dresden 1694.

1. Ist Gott mein Schild und Helfersmann, was wird sein, dass mir scha_den kann? Weicht

4. Ist Gott mein Schutz und treuer Hirt, kein Unglück mich be_rüh_ren wird; weicht

Cont.

al _ le mei_ne Fein _ de, die ihr mir li_stig_lich nachsteht, nur eu_rer Schmach ent_

al _ le mei_ne Fein _ de, die ihr mir stiftet Angst und Pein, es wird zu eu _ rem

ge _ gen geht; ich ha _ be Gott zum Freun _ de, ich ha _ be Gott zum Freun_de.

Schaden sein, ich ha _ be Gott zum Freun _ de, ich ha _ be Gott zum Freun_de.

7 Str. (Str. 1 u 4. In der B. A. nur die 4. Str.)

Chr. Homburg 1659.

217. Keinen hat Gott verlassen. (B. A. 39. № 116.)

Joh. Crüger 1640.

Kei _ nen hat Gott ver _ las _ sen, der ihn ver _ traut all _ zeit;
ob ihn schon drum viel has _ sen, so bringt's ihm doch kein Leid.

Gott will die Sei _ nen schü _ tzen, zu _ letzt er _ he _ ben hoch, und

ge _ ben, was ihn'n nü _ tzet, hier zeit _ lich und auch dort.
(8 Str.)

Erfurter G. B. 1611.

218. Komm, Gott Schöpfer, heiliger Geist. (B. A. 39. № 117.)

Jos. Klug G. B. 1535.

Komm, Gott Schö _ pfer, hei _ li _ ger Geist, be _ such' das Herz der Menschen dein, mit

Gna _ den sie füll' wie du weisst dass dein Ge _ schöpf soll für dir sein.
(7 Str.)

Martin Luther 1524.

219. Komm, Gott Schöpfer, heiliger Geist.
(Cant. Gott der Hoffnung erfülle euch. B. A. 41, 238. Echtheit fraglich.)

Hörner.

J. Klug G. B. 1535.

Komm, Gott Schö _ pfer, hei _ li _ ger Geist, be _ such das

Herz der Menschen dein, mit Gna _ den sie füll, wie du weisst,

dass dein Ge _ schöpf vor _ _ hin sein. _____

(7 Str.)

Martin Luther 1524.

220. Komm, heiliger Geist, Herre Gott.

(Cant. 59. Wer mich liebet. B. A. 12 II, 164.)
(Cant. 175. Er ruft seinen Schafen. B. A. 35, 177.)

Joh. Walther G. B. 1524.

der herr_lich leuch_tet nah' und fern. Drum will ich, die___

zu dem Glau_ben ver_sam_melt hast das Volk aus al___

mich an_ders leh_ren, in E_wig_keit,___ mein Gott, nicht hö___

ler Welt Zun_gen; das sei dir, Herr,___ zu Lob' ge_sun_

ren. Al_le_lu___ja, Al_le_lu___ja.
12 Str. (Str. 9 des Liedes:
O Gottes Geist, mein Trost und Rath.) J. Rist 1651.

gen. Al_le_lu___ja, Al_le_lu___ja.
(3 Str.) Martin Luther 1524.

221. Komm, heiliger Geist, Herre Gott.

(Motette. Der Geist hilft unsrer Schwachheit auf. B. A. 39, 57.)

Joh. Walther G.B. 1524.

Du hei _ li _ ge Brunst, sü _ sser Trost, nun hilf uns fröh _ lich und getrost in deinem Dienst be _ ständig blei _ ben, die Trübsal uns nicht ab _ trei _ _ ben! O Herr. durch dein Kraft uns bereit', und stärk' des Fleisches Blö _ digkeit, dass wir hie rit _ ter _ lich rin _ gen, durch Tod und Le _ ben zu dir drin _ _ _ gen! Al _ le _ lu _ ja, Al _ le _ lu _ ja!

3 Str. (Str.3 des Liedes: Komm heiliger Geist, Herre Gott.)

Martin Luther 1524.

222. Komm, Jesu komm. (Motette. Komm, Jesu komm. B. A. 39, 125.)

J. S. Bach.

Wagner's G. B. Leipzig 1697. B. VIII p.326
mit den Bemerkungen: Johann. 14 v.6. In eigner Melodey.

223. Kommt her zu mir, spricht Gottes Sohn.

(Cant. 74. Wer mich liebet, der wird mein Wort halten. B. A. 18, 146.)

Einzeldruck 1530.

1. Gott Va — ter, sen — de dei — nen Geist, den uns dein Sohn er —
2. Kein Men — schen — kind hier auf der Erd' ist die — ser ed — len

bit — ten heisst, aus dei — nes Him — mels Hö — — hen. Wir
Ga — be werth, bei uns ist kein Ver — — die — — nen; hier

bit — ten wie er uns ge — lehrt. Lass uns doch ja nicht
gilt gar nichts als Lieb' und Gnad', die Chri — stus uns ver —

un — er — hört von dei — nem Thro — ne ge — — — — hen.
die — net hat mit Bü — ssen und Ver — süh — — — — nen.

16 Str. (Str. 1 u. 2. In der B. A. nur die 2. Str.)

Paul Gerhardt 1656.

224. Kommt her zu mir, spricht Gottes Sohn.

(Cant. 108. Es ist euch gut, dass ich hingehe. B. A. 23, 230.)

Einzeldruck 1530.

Dein Geist, den Gott vom Himmel giebt, der lei _ tet Al _ les,

Cont.

was ihn liebt, auf wohl ge _ bahn _ _ _ ten We _ _

gen. Er setzt und rich _ tet un _ sern Fuss, dass er nicht

an _ ders tre _ ten muss, als wo man findt_____ den Se _ gen.

16 Str. (Str. 10 des Liedes: Gott Vater sende deinen Geist.)

Paul Gerhardt 1656.

225. Kyrie, Gott Vater in Ewigkeit. (B. A. 39, Nº 118.)

Dresden 1625.

Ky_ _ ri _ e! Gott Va_ter in E_wig _keit! Gross ist

dein Barm_her _zig _keit, al_ler Ding ein Schöpfer und Re_gie_

rer! E _ _ le _ i _ son! Chri _ _

_ste al _ ler Welt Trost! uns Sün_der al _

lein du hast er _löst; Je _ _su Got_tes Sohn! Un _ser

Mitt - ler bist in dem höchsten Thron, zu dir schreien wir aus Her - zens - be - gier! E - - - le - - i - son. Ky - ri - e! Gott hei - li - ger Geist! Tröst', stärk' uns im Glau - ben al - ler meist, dass wir am letz - ten End' fröh - lich ab - schei - den aus die - sem E - lend! E - - - le - i - son!

Wittenberg um 1541.

226. Lass, o Herr, dein Ohr sich neigen. (B. A. 39, № 119.)

Lyon, Bourgeoys 1547.

Lass, o Herr, dein Ohr sich nei - - gen,
dir mein Wort zu Her - zen stei - - gen,

und stoss' mich nicht von dir hin, weil ich arm und e - lend bin hü - te

mei - ne Seel' und Le - - ben, die ich hei - lig dir er - ge -

ben: reiss' mich, dei - nen Knecht, aus Noth, der auf dich nur hofft, o Gott!
(8 Str.)

Martin Opitz 1637.

227. Liebster Gott, wann werd' ich sterben.

(Cant. S. Liebster Gott, wann werd' ich sterben. B. A. 1, 241.)

Daniel Vetter vor 1695.

Herrscher ü - ber Tod und Le - - ben, mach' ein -
leh - re mich den Geist auf - ge - - ben mit recht

Cont.

mal mein En - - - de gut,
wohl ge fass - - tem

Muth.

Hilf, dass ich ein

ehr - lich Grab

neben frommen Christen hab', und auch end - lich in der

Er - de nimmermehr zu Schan - - den wer - de.

5 Str. (Str. 5 des Liedes: Liebster Gott, wann werd' ich sterben.)

Caspar Neumann um 1690.

228. Liebster Jesu, wir sind hier. (B. A. 39, N? 120.)

Darmstadt G. B. 1687.

Liebster Je - su, wir sind hier, dich und dein Wort an - zu - hö - - ren;
len - ke Sin - nen und Be - gier auf die sü - ssen Himmels - leh - ren,

dass die Her - zen von der Er - den ganz zu dir ge - zo - gen wer - den.

(3 Str.)

Tob. Clausnitzer 1668.

229. Liebster Immanuel, Herzog der Frommen.

(Cant. 123. Liebster Immanuel. B. A. 26, 60.)

A. Fritzsch 1679.

1. Lieb_ster Im _ ma_nu_el, Her_zog der From _ men, du mei_ner
Du hast mir, höch sterSchatz! mein Herz ge _ nom _ men, so ganz vor
6. Drum fahrt nur im _ mer hin, ihr Ei_ tel _ kei _ ten! Du, Je _ su,
ich will mich von der Welt zu dir be _ rei _ ten; du sollt in

See _ len Trost, komm, komm nur bald! Nichts kann auf Er _ den
Lie _ be brennt und nach dir wallt. Mein gan_zes Le _ ben
du bist mein und ich bin dein;
mei _ nem Herz und Mun _ de sein.

Zum 2. mal piano

mir lie _ ber wer _ den, wenn ich, o Je _ su, dich nur stets be _ halt.
sei dir er _ ge _ ben, bis man mich ein_sten legt ins Grab hin _ ein.

6 Str. (Str. 1 u. 6. In der B. A. nur die 2 Str.)

A. Fritzsch 1679.

230. Lobe den Herren, den mächtigen König der Ehren.

(Cant. 137. Lobe den Herren, den mächtigen König. B. A. 28, 196 u.)
(unvollst. Trauungscant. Herr Gott, Beherscher. B. A. 41, 174.)

Stralsund G. B. 1665.

Trompeten.

Pauken.

1. Lo_be den Her ren, den mäch_ti _ gen Kö_nig der Eh _ ren.
mei_ne ge _ lie _ be _ te See _ le, das ist mein Be _ geh _ ren.
4. Lo_be den Her _ ren, der dei _ nen Stand sichtbar ge _ seg _ net;
der aus dem Him _ mel mit Strömen der Lie _ be ge _ reg _ net:
5. Lo_be den Her _ ren, was in mir ist, lo_be den Na _ men!
Al _ les, was O _ dem hat, lo _ be mit A _ brahams Sa _ men!

Kommt her zu hauf, Psal- ter! und Har- fe wach'
den- ke da- -ran, was der All- mäch- ti- ge
Er ist dein Licht; See- le, ver- giss es ja

auf. Las- set die Mu- si- cam hö- -ren.
kann, der dir mit Lie- be be- geg- -net!
nicht, Lo- -ben- -de, schlie- -sse mit A- -men!

5 Str. (Str. 1, 4 u. 5. In der B. A. nur die 4 u. 5 Str.)

Joachim Neander 1679.

231. Lobe den Herren, den mächtigen König der Ehren.

(Cant. 57. Seelig ist der Mann. B. A. 12. II, 132.)   Stralsund G. B. 1665.

Die Seele. 1. Hast du denn, Je- su, dein An- ge- sicht gänz- lich ver- bor- gen,
          dass ich die Stun- de der Näch- te muss war- ten bis mor- gen?
Christus. 6. Rich- te dich, Lieb- ste, nach mei- nem Ge- fal- len und glau- be,
          dass ich dein See- len freund im- mer und e- wig ver- blei- be,

Wie hast du doch, Süssester, mö- gen an- noch bringen die trau- ri- gen Sor- gen?
der dich er- götzt, und in den Himmel ver- setzt aus dem ge- mar- ter- ten Lei- be.

12 Str. (Str. 1 u. 6. In der B. A. nur die 6 Str.)

Saubert G. B. Nürnberg 1676.

232. Lobet den Herren, denn er ist sehr freundlich. (B.A.39, № 121.)

A. Scandellus 1568.

Lo - bet den Her - ren, lo - bet den Her - ren, denn er ist sehr freund - lich, es ist sehr köst - lich, un - sern Gott zu lo - ben, un - sern Gott zu lo - ben, sein Lob ist schön und lieb - lich an - zu - hö - ren. Lo - bet den Her - ren, lo - bet den Her - ren!

(7 Str.)

1579.

233. Lobt Gott, ihr Christen allzugleich. (B. A. 39, № 122.)

Nic. Herman 1560. (1554)

Lobt Gott, ihr Chri_sten all_zu_gleich, in sei_nem höch_sten Thron; der heut' auf_schleusst sein Him_mel_reich und schenkt uns sei_nen Sohn, und schenkt uns sei_nen Sohn.

(8 Str.)

Nic. Herman 1560.

234. Lobt Gott, ihr Christen allzugleich. (B. A. 39, № 123.)

Nic. Herman 1560. (1564)

Lobt Gott, ihr Christen all_zu_gleich, in sei_nem höchsten Thron, der heut' auf schleusst sein Himmelreich und schenkt uns sei_nen Sohn, und schenkt uns seinen Sohn.

(8 Str.)

Nic. Herman 1560.

235. Lobt Gott, ihr Christen allzugleich.

(Cant. 151. Süsser Trost, mein Jesus kommt. B. A. 32, 16.)

Nic. Herman 1560.(1554)

Heut' schleusst er wieder auf die Thür zum schönen Pa_ra_deis der Cherub steht nicht mehr da_für, Gott sei Lob, Ehr' und Preis, Gott sei Lob, Ehr' und Preis.

(Str. 8 des Liedes: Lobt Gott, ihr Christen.)

Nic. Herman 1560.

236. Lobt Gott, ihr Christen allzugleich.

(Trauungs-Cantate: Dem Gerechten muss das Licht. B. A. 13. I, 70.)

Nic. Herman 1560.(1554)

Trompeten.

Pauken.

Cont.

Nun dan_ket All und brin_get Ehr, ihr Men_schen in der Welt, dem, des_sen Lob der En_gel Heer im

Him_mel stets ver_meldt. im Him_mel stets ver_meldt.

(9 Str.)

P. Gerhardt 1648.

237. Mach's mit mir, Gott, nach deiner Güt'. (B.A.39, № 124.)

J. H. Schein 1628.

Mach's mit mir, Gott, nach dei_ner Güt', hilf mir in meinem Lei den,
was ich dich bitt', ver_sag' mir nicht,wenn mei_ne Seel' will schei_den:

so nimm sie, Herr, in dei_ne Händ', ist Al_les gut, wenn gut das End'.

(5 Str.)

238. Mach's mit mir, Gott, nach deiner Güt'.

J. H. Schein 1628.

(Cant. 139. Wohl dem, der sich auf seinen Gott. B.A. 28, 248.)

J. H. Schein 1628.

1. Wohl dem, der sich auf sei_nen Gott recht kindlich kann ver_las_sen!
Den mag gleich Sün_de, Welt und Tod und al_le Teu_fel has_sen,
5. Da he_ro Trotz der Höl_len Heer! Trotz auch des To_des Ra_chen!
Trotz al_ler Welt! mich kann nicht mehr ihr Po_chen trau_rig ma_chen.

so bleibt er den_noch wohl ver gnügt, wenn er nur Gott zum Freun_de kriegt.
Gott ist mein Schutz. mein' Hülf' und Rath: wohl dem, der Gott zum Freun_de hat!

5 Str. (Str. 1 u. 5)

Joh. Chritoph Ruben 1692.

239. Mach's mit mir, Gott, nach deiner Güt.
(Johannes-Passion B. A. 12 1, 74.)

J. H. Schein 1628.

Durch dein Gefängniss, Got_tes Sohn, ist uns die Frei_heit kom_men,
Dein Ker_ker ist der Gna_den thron, die Frei_statt al_ler From_men:

denn gingst du nicht die Knechtschaft ein, müsst' un_sre Knechtschaft e _ wig sein.

Cont.

240. Mein' Augen schliess' ich jetzt. (B. A. 39, No 125.)

Apelles von Löwenstern 1644.

Mein' Au _ gen schliess' ich jetzt in Got_tes Na _ men zu, die

weil der mü _ de Leib be _ geh _ ret sei _ ne Ruh', weiss

a _ ber nicht, ob ich den Mor_gen möcht' er _ le _ ben: es

könn_te mich der Tod viel _ leicht noch heut' um _ ge _ ben.
(6 Str.)

Apelles von Löwenstern 1644.

241. Meinen Jesum lass' ich nicht, Jesus. (B. A. 39, No 126.)

Lüneburger G. B. 1686.

Meinen Je_sum lass' ich nicht, Jesus wird mich auch nicht las _ sen.
Je _ su hab' ich mich verpflicht't, ich will ihn in's Her_ze fas _ sen.

Weiss ge _ wiss und glau_be fest, dass mich Je _ sus auch nicht lässt.

Breslau um 1690.

242. Meinen Jesum lass' ich nicht. (B. A. 39, No 127.)

Andr. Hammerschmidt 1658.

Mei_nen Je _ sum lass' ich nicht, weil er sich für mich ge_ge _

ben: so er _ for_dert mei_ne Pflicht, klet_ten _ weis an ihm zu kle _ ben.

Er ist mei_nes Le_bens Licht, mei_nen Je _ sum lass' ich nicht.

(6 Str.)

Christian Keymann 1658.

243. Meinen Jesum lass' ich nicht.

(Cant. 70. Wachet betet seid bereit. B. A. 16, 368.)

A. Hammerschmidt. 1658.

Nicht nach Welt, nach Himmel nicht meine See-le wünscht und seh-net, Je-sum wünsch' ich und sein Licht, der mich hat mit Gott ver-söh-net, der mich frei-macht vom 'Ge-richt, mei-nen Je-sum lass' ich nicht.

6 Str. (Str. 5 des Liedes: Meinen Jesum lass' ich nicht.)

Christian Keymann. 1658.

244. Meinen Jesum lass' ich nicht.

(Cant. 154. Mein liebster Jesus ist verloren. B. A. 32, 82.)

A. Hammerschmidt. 1658.

Mei-nen Je-sum lass' ich nicht, geh' ihm e-wig an der Sei-

Cont.

ten; Christus lässt mich für und für zu dem Le-bensbächlein lei-ten.

Se-lig, der mit mir so spricht: Mei-nen Je-sum lass' ich nicht!

6 Str. (Str. 6 des Liedes: Meinen Jesum lass' ich nicht.)

Christian Keymann. 1658.

245. Meinen Jesum lass' ich nicht.

(Cant. 157. Ich lasse dich nicht, du segnest mich denn. B. A. 32, 110.)

A. Hammerschmidt. 1658.

Je-sum lass' ich nicht von mir, geh' ihm e-wig an der Sei-

ten; Christus lässt mich für und für zu dem Le-bensbäch-lein lei-ten.

Se-lig, wer mit mir so spricht: Mei-nen Je-sum lass' ich nicht!

6 Str. (Str. 6 des Liedes: Meinen Jesum lass' ich nicht.)

Christian Keymann. 1658.

246. Meinen Jesum lass' ich nicht.

(Cant. 124. Meinen Jesum lass' ich nicht. B. A. 26, 82.)

A. Hammerschmidt. 1658.

Je - sum lass' ich nicht von mir, geh' ihm e - wig an der Sei - ten; Chri - stus lässt mich für und für zu dem Le - bens - bäch - lein lei - ten. Se - lig, wer mit mir so spricht: mei - nen Je - sum lass' ich nicht.

6 Str. (Str. 6 des Liedes: Meinen Jesum lass' ich nicht.)

Christian Keymann. 1658.

247. Meinen Jesum lass' ich nicht.

(Schlusschoral der Matthäus-Passion in deren
ursprünglicher Gestalt. B. A. 41, 201.)

A. Hammerschmidt. 1658.

Je - sum lass' ich nicht von mir, geh' ihm e - wig an der Sei -

ten; Christus lässt mich für und für zu dem Lebensbächlein lei - ten.

Cont.

Se - lig, wer mit mir so spricht: Mei - nen Je - sum lass' ich nicht.

6.Str. (Str. 6 des Liedes: Meinen Jesum lass'ich nicht.)

Christian Keymann. 1658.

Meine Seele erhebt den Herren siehe **N⁰ 121.**

248. Meines Lebens letzte Zeit. (B. A. 39, N⁰ 128.)   Psalmodia sacra. Gotha 1726.

Meines Le - bens letz - te Zeit ist nun-meh-ro an - ge-kommen, da der schnöden

Ei - tel - keit mei - ne See - le wird ent - nommen; wer kann wi - der - stre - ben, dass uns

Menschen Gott das Le - ben auf ein zeit - lich' Wie-der - neh-men hat ge - ge - ben.

(7 Str.)

249. Mit Fried' und Freud' ich fahr' dahin.
(B. A. 39, N° 129.)

J. Walter. G. B. 1524.

Mit Fried' und Freud' ich fahr' da_hin in Got_tes Wil_le, ge_trost ist mir mein Herz und Sinn, sanft und stil_le. Wie Gott mir ver_hei_ssen hat, der Tod ist mein Schlaf wor_den.

Schlaf wor_den.

(4 Str.)

mein Schlaf wor_den.

M. Luther. 1524.

250. Mit Fried' und Freud' ich fahr' dahin.
(Cant. 83. Erfreute Zeit im neuen Bunde. B. A. 20. I, 76.)

J. Walter. G. B. 1524.

Er ist das Heil und se_lig' Licht für die Hei_den, zu er_

leuch - ten, die dich ken - nen nicht, und zu wei - - den.

Er ist dein's Volks I - sra - el der Preis, Ehr', Freud' und Won - - ne.
4 Str. (Str. 4 des Liedes: Mit Fried' und Freud'.)

M. Luther. 1524.

251. Mit Fried' und Freud' ich fahr' dahin.

(Cant. 125: Mit Fried' und Freud'. B. A. 26, 110.)

J. Walter. G. B. 1524.

Er ist das Heil und se - lig' Licht für die Hei -

den, zu er - leuch - ten, die dich ken - nen nicht, und zu wei - - den.

Er ist dein's Volks I - sra - el der Preis, Ehr', Freud' und Won - - ne.
4 Str. (Str. 4 des Liedes: Mit Fried' und Freud'.)

M. Luther. 1524.

252. Mitten wir im Leben sind. (B. A. 39, No 130.)

J. Walter. G. B. 1524.

Mitten wir im Leben sind mit dem Tod umfangen;
wen such'n wir, der Hülfe thu', dass wir Gnad' erlangen?

Das bist du, Herr, alleine. Uns reuet uns're

Missethat, die dich, Herr, erzürnet hat. Hei-

liger Herre Gott, heiliger, starker Gott, heiliger, barmherz'ger

Heiland, du ewiger Gott, lass uns nicht versin-

ken in der bittern Todesnoth. Kyrie eleison!
(3 Str.)

M. Luther. 1524.

253. Nicht so traurig, nicht so sehr. (B. A. 39, № 131.)

Joh. Sebastian Bach.

Nicht so trau_rig, nicht so sehr, mei_ne See_le, sei be_trübt,
dass dir Gott Glück, Gut und Ehr' nicht so viel, wie An_dern gibt;

nimm für_lieb mit dei_nem Gott; hast du Gott, so hat's nicht Noth.
(15 Str.)

P. Gerhardt. 1649.

254. Nun bitten wir den heiligen Geist. (B. A. 39, № 132.)

Joh. Walther. G. B. 1524.

Nun bit_ten wir den hei_li_gen Geist um den rechten

Glau_ben al_ler_meist, dass er uns be_hü_te an un_serm En_

de, wenn wir heimfahr'n aus die_sem E_len_de. Ky_ri_e e_leis'.
(4 Str.)

M. Luther. 1524.

174

255. Nun bitten wir den heiligen Geist.

(Trauungscant. Gott ist unsre Zuversicht. B. A. 13. I, 128.)

Joh. Walther. G. B. 1524.

Du süsse Lieb', schenk' uns deine Gunst, lass uns empfinden der Liebe Brunst, dass wir uns von Herzen einander lieben, und in Fried' auf einem Sinne bleiben. Kyrie eleis'!

4 Str. (Str. 3 des Liedes: Nun bitten wir den heiligen Geist.)

M. Luther. 1524.

256. Nun bitten wir den heiligen Geist.

(Cant. 169. Gott soll allein mein Herze haben. B. A. 33, 192.)

Joh. Walther. G. B. 1524.

Du süsse Liebe, schenk' uns deine Gunst, lass uns empfinden der Liebe Brunst, dass wir uns von Her-

Cont.

Frie - den auf ei - nem Sinn

zen ein - an - der lie - - ben und in Frie - - - den auf ei -

Frieden auf ei -

blei - - - - ben. Ky - rie e - lei - - son.

nem Sinn blei - - ben. Ky - ri - e e - lei - - son.

4 Str. (Str. 3 des Liedes: Nun bitten wir den heiligen Geist.)

nem Sinn blei - - ben. Ky - rie e - lei - - son.

M. Luther. 1524.

257. Nun danket alle Gott. (B. A. 39, Nº 133.)

Joh. Crüger. 1648.

Nun dan - ket al - le Gott mit Herzen, Mund und Hän - den,
der gro - sse Din - ge thut an uns und al - len En - den;

der uns von Mut - ter - leib und Kin - des - bei - nen an un -

zäh - lig viel zu gut und noch jetz - und ge - than.

(3 Str.)

Martin Rinckart. 1648.

258. Nun danket alle Gott. (Trauungschoral. B. A. 13 I, 149.)

Joh. Crüger 1648.

Martin Rinckart 1648.

259. Nun danket alle Gott. (Cant. 79. Gott, der Herr, ist Sonn' und Schild. B. A. 18, 308.)

Joh. Crüger 1648.

und Kin - des - bei - nen an

un - zäh - lig viel zu gut,

und noch jetz - und ge - than. (3 Str.)

Mart. Rinckart 1648.

260. Nun freut euch, Gottes Kinder all. (B. A. 39. No 134.)

Einzeldruck, 1546.

Nun freut euch, Gottes Kin-der all, der Herr fährt auf mit grossem Schall, lob-

sin-get ihm, lob-sin-get ihm, lob-sin-get ihm mit hel-ler Stimm'!

(16 Str., ursprüngl. 29.)

Erasmus Alberus 1549.

261. Nun freut euch, lieben Christen g'mein. (B. A. 39. No 135.)

Wittenberg 1524.

Nun freut euch, lie-ben Christen g'mein, und lasst uns fröhlich springen,
dass wir ge-trost und all in Ein mit Lust und Lie-be sin-gen:

was Gott an uns ge-wen-det hat, und sei-ne sü-sse

Wun-der-that; gar theur' hat er s er-wor-ben.

(10 Str.)

M. Luther 1523.

262. Nun freut euch, lieben Christen g'mein. (B. A. 39. № 54.)

Jos. Klug G. B. 1535
Cassel G. B. 1601.

Es ist ge _ wisslich an der Zeit, dass Got_tes Sohn wird kom _ men.
in sei_ner gro_ssen Herrlichkeit, zu rich_ten Bös' und From_men.

Dann wird das La _ chen wer_den theur, wann Al _ les soll ver _

gehn im Feu'r, wie Pe _ trus da _ von zeu _ get.
(7 Str.)

Barth. Ringwald 1582.

263. Nun freut euch, lieben Christen g'mein.

(Weihnachts-Oratorium. B. A. 5 II, 245.)

Jos. Klug G. B. 1535.
Cassel G. B. 1601.

Ich steh' an dei _ ner Krippen hier, o Je _ su _ lein, mein Le _ ben,
ich komme, bring und schenke dir, was du mir hast ge _ ge _ ben.

Cont.

Nimm hin, es ist mein Geist und Sinn, Herz, Seel' und Muth. nimm

Al _ les hin, und lass dir's wohl _ ge _ _ fal _ _ len!
(15 Str.)

P. Gerhardt, 1656.

264. Nun komm, der Heiden Heiland.
(Cant. 36. Schwingt freudig euch empor. B. A. 7, 258.)

Erfurt, 1524.

1. Nun komm, der Hei _ den Hei _ land, der Jung _ frau _ en Kinder _ kannt,
8. Lob sei Gott, dem Va _ ter, g'than, Lob sei Gott, sein'm ein _ gen Sohn,

des sich wun _ dert al _ le Welt, Gott solch' Ge _ burt ihm be _ stellt.
Lob sei Gott, dem heil _ gen Geist, im _ mer und in E _ wig _ keit.

8 Str. (Str. 1 u. 8 des Liedes: Nun komm, der Heiden Heiland. In der B. A. nur die 8. Str.)

M. Luther 1524.

265. Nun komm, der Heiden Heiland.
(Cant. 62. Nun komm, der Heiden Heiland. B. A. 16, 50.)

Erfurt, 1524.

Lob sei Gott, dem Va _ ter, g'than, Lob sei Gott, sein m ein _ gen Sohn,

Cont.

Lob sei Gott, dem heil _ gen Geist, im _ mer und in E _ wig _ keit.

8 Str. (Str. 8 des Liedes: Nun komm, der Heiden Heiland.)

266. Nun lasst uns Gott, dem Herren.

(Cant. 165. O heil'ges Geist-und Wasserbad. B. A. 33, 104.)

Nic. Selneccer 1587.

1. Nun lasst uns Gott, dem Her — ren, Dank sa — gen und ihn eh — ren, von
5. Sein Wort, sein' Tau — fe, sein Nachtmahl dient wi — der al — len Un — fall. Der

we — gen sei — ner Ga — ben, die wir em — pfan — gen ha — ben.
hei — lig' Geist im Glau — ben lehrt uns da — rauf ver — trau — en.

8 Str. (Str. 1 u. 5 des Liedes: Nun lasst uns Gott, dem Herren. In der B. A. nur die 5. Str.)

Ludw. Helmbold 1575.

267. Nun lasst uns Gott, dem Herren.

(Cant. 79. Gott, der Herr, ist Sonn und Schild. B. A. 18, 316.)

Nic. Selneccer 1587.

Hörner.

Pauken.

Er — halt uns in der Wahr — heit, gieb e — wig — li — che Frei —

heit, zu prei — sen dei — nen Na — men durch Je — sum Christum, A — men.

8 Str. (Str. 8 des Liedes: Nun lasst uns Gott, dem Herren.)

Ludw. Helmbold 1575.

268. Nun lasst uns Gott, dem Herren.

(Cant. Höchsterwünschtes Freudenfest. B. A. 29. 138.)

Nic. Selneccer. 1587.

1. Wach auf, mein Herz, und sin _ ge dem Schöpfer al _ ler Din _ ge, dem
9. Sprich Ja zu mei _ nen Tha _ ten, hilf selbst das Be _ ste ra _ ten; den
10. Mit Se _ gen mich be _ schüt _ te, mein Herz sei dei _ ne Hüt _ te, dein

Ob.III.

Men _ schen Hü _ ter.

Ge _ ber al _ ler Gü _ ter, dem frommen Men _ schen Hü _ ter.
An _ fang, Mitt'l und En _ de, ach Herr, zum Be _ sten wen _ de.
Wort sei mei _ ne Spei _ se, bis ich gen Him _ mel rei _ se.

10 Str. (Str. 1, 9 u. 10 des Liedes: Wach auf, mein Herz und singe. In der B.A. nur die 9. u. 10. Str.)

P. Gerhardt 1648.

269. Nun lob', mein' Seel', den Herren. (B. A. 39. № 136.)

Joh. Kugelmann 1540.

Nun lob', mein' Seel', den Her _ ren, was in mir ist, den Na _ men sein,
sein' Wohl_that thut er meh _ ren, ver _ giss es nicht, o Her_ze mein,

hat dir dein Sünd ver_ge _ ben und heilt dein' Schwachheit gross, er_ rett dein armes Le _

ben, nimmt dich in sei _ nen Schooss mit reichem Trost be_schüt _ tet, ver_jüngt dem Ad_ler

gleich, der Köng schafft recht, be_hü _ tet, die leid'n in sei _ nem Reich.

(4 Str.)

Joh. Gramann (Poliander) 1540.

270. Nun lob', mein' Seel', den Herren. (B. A. 39. N⁰ 137.)

Joh. Kugelmann 1540.

Nun lob', mein' Seel', den Her_ren, was in mir ist, den Na_men sein,
sein' Wohlthat thut er meh_ren, ver_giss es nicht, o Herze mein,

hat dir dein' Sünd' ver_ge _ ben und heilt dein' Schwachheit

gross, er_rett' dein ar_me Le _ ben, nimmt dich in sei _ nen

Schooss, mit rei_chem Trost be_schüt _ tet, ver_jüngt dem Ad_ler

gleich, der Kön'g schafft recht, be_hü _ tet, die leid'n in sei_nem Reich.

(4 Str.)

Joh. Gramann (Poliander) 1540.

271. Nun lob', mein' Seel', den Herren.

(Cant. 17. Wer Dank opfert, der preiset mich. B. A. 2, 225.)

Joh. Kugelmann 1540.

Wie sich ein Vat'r er _ bar _ met üb'r sei _ ne jun _ ge Kindlein klein:
So thut der Herr uns Ar _ men, so wir ihn kind_lich fürchten rein.

Er kennt das arm' Ge _ mäch _ te, er weiss, wir sind nur

Staub. Gleich wie das Gras vom Re _ che, ein' Blum' und fal _ lend

Laub der Wind nur drü _ ber we _ het, so ist es nimmer da: al-

so der Mensch ver _ ge _ het, sein End', das ist ____ ihm nah.

4 Str. (Str. 3 des Liedes: Nun lob', mein' Seel', den Herren.)

Joh. Gramann (Poliander) 1540.

272. Nun lob', mein' Seel', den Herren.

(Cant. 29. Wir danken dir, Gott, wir danken dir. B. A. 5 I, 316.)

Joh. Kugelmann 1540.

3 Trompeten.

Pauken.

Cont.

Sei Lob und Preis mit Eh _ ren, Gott Va _ ter, Sohn, hei _ li _ gem Geist!
Der woll' in uns ver _ meh _ ren, was er uns aus Gnaden ver _ heisst,

dass wir ihm fest ver _ trau _ en, gänz _ lich ver _

lass'n las _ sen auf ihn, von Her _ zen auf ihn bau _

en, dass un _ ser Herz, Muth und Sinn ihm tröst _ lich soll'n an _
(uns'r)

han _ gen; drauf sin _ gen wir zur Stund: A _ men wir

wer _ den's er _ lan _ gen,

wer _ den's er _ lan — gen, glaub'n wir aus Her _ zens Grund.
(glau _ ben)

Als 5. Str. dem Liede: Nun lob', mein' Seel', den Herren, im
Nürnberger G. B. 1601 angefügt. Schon Mitte des 16 Jahrh. bekannt.

273. Nun preiset alle Gottes Barmherzigkeit. (B. A. 39 № 138.)

M. Apelles v. Löwenstern 1644.

Nun prei_set al _ le Got_tes Barm_her _ zig _ keit, lob' ihn mit

Schal_le, du wer_the Chri _ sten_heit! Er lässt dich freund _ lich

zu sich la _ den, freu_e dich, I _ sra _ el, sei_ner Gna _ den.
(5 Str.)

M. A. v. Löwenstern 1644.

274. Nun sich der Tag geendet hat. (B. A. 39 № 143.)

Adam Krieger 1667.
Darmstadt G. B. 1698.

Nun sich der Tag ge _ en _ det hat, und kei_ne Sonn'mehr scheint, schläft

Al _ les, was sich ab_ge_matt', und was zu_vor ge_weint. (10 Str.)

Joh. Friedr. Herzog 1670.

275. O Ewigkeit, du Donnerwort. (B. A. 39 № 144.)

Joh. Schop 1642.

1. O_____ E _ wig _ keit, du Don _ ner _ wort! O_____
O_____ E _ wig _ keit, Zeit oh _ ne Zeit! Ich_____
16. O_____ E _ wig _ keit, du Don _ ner _ wort! O_____
O_____ E _ wig _ keit, Zeit oh _ ne Zeit! Ich_____

Schwert, das durch die See _ le bohrt! O An_fang son_der En _ de!
weiss vor gro_sser Trau_rig_keit nicht, wo ich mich hin_wen _ de.
Schwert, das durch die See _ le bohrt! O An_fang son_der En _ de!
weiss vor gro_sser Trau_rig_keit nicht, wo ich mich hin_wen _ de.

Mein ganz er schrocknes Herz er _ bebt, dass mir die Zung' am Gaumen klebt.
Nimm du mich, wenn es dir ge - fällt, Herr Je su, in dein Freuden_zelt.

16 Str. (Str. 1 u. 16 des Liedes: O Ewigkeit, du Donnerwort. In der B. A. nur die 16. Str.)

Joh. Rist 1644.

276. O Ewigkeit, du Donnerwort.

(Cant. 20. O Ewigkeit, du Donnerwort. B. A. 2, 317 u. 327.)

Joh. Schop 1642.

11. So lang ein Gott im Him_mel lebt, und ü _ ber al _ le
Es wird sie pla-gen Kält' und Hitz', Angst, Hun - ger, Schre_cken,
16. O E _ wig_keit, du Don_ner_wort! O Schwert das durch die
O E _ wig_keit, Zeit oh _ ne Zeit! Ich weiss vor gro _ sser

Wol _ ken schwebt, wird sol _ che Mar _ ter wäh _ ren:
Feu'r und Blitz und sie doch nie ver _ zeh _ ren.
See _ le bohrt! O An _ fang son _ der En _ de!
Trau _ rig _ keit nicht, wo ich mich hin _ wen _ de.

Denn wird sich en _ den die _ se Pein, wenn Gott nicht mehr wird e _ wig sein.
Nimm du mich, wenn es dir ge - fällt, Herr Je _ su, in dein Freu_den_zelt!

16 Str. (Str. 11 u. 16 des Liedes: O Ewigkeit, du Donnerwort.)

Joh. Rist 1644.

277. O Gott, du frommer Gott. (B. A. 39 Nº 145.)

(Unvollst. Cant. Ehre sei Gott in der Höhe B. A. 41, 114.)

A. Fritzsch 1679.
Darmstadt G. B. 1698.

O Gott, du frommer Gott, du Brunnquell al _ ler Ga _ ben, ohn'

Ich freu _ e mich in dir, und hei _ sse dich will _ kom _ men, mein
Wohl _ an so will ich mich an dich, o Je _ su hal _ ten, und

den Nichts ist was ist, von dem wir Al _ les ha _ ben, ge _

lieb _ stes Je _ su _ lein; du hast dir vor _ ge _ nom _ men mein
soll _ te gleich die Welt in tau _ send Stü _ cke spal _ ten. O

sun _ den Leib gib mir, und dass in sol _ chem Leib ein'

Brü _ der _ lein zu sein: Ach wie ein sü _ sser Ton! wie
Je _ su, dir, nur dir, dir leb ich ganz al _ lein, auf

un _ ver _ letz _ te Seel' und rein Ge _ wis _ sen bleib'.

8 Str. Joh. Heermann 1630.

freund _ lich sieht er aus, der hol _ de Got _ tes _ sohn!
dich, al _ lein auf dich, mein Je _ su, schlaf ich ein.

4 Str. (Str. 1 u. 4 des Liedes: Ich freue mich in dir. In der B. A. (41,114) nur die 2. Str.)

Caspar Ziegler 1618.

278. O Gott, du frommer Gott.

(Cant. 45. Es ist dir gesagt, Mensch, was gut ist. B. A. 10, 186.)

A. Fritzsch 1679.
Darmstadt G. B. 1698.

Gieb, dass ich thu' mit Fleiss, was mir zu thun ge-

büh _ ret, wo _ zu mich dein Be _ fehl in mei_nem Stan_de

füh _ ret. Gieb, dass ich's thu _ e bald, zu der Zeit, da ich

soll; und wenn ich's thu, so gieb, dass es ge_ra_the wohl.

8 Str. (Str. 2 des Liedes: O Gott, du frommer Gott.)

Cont.

Joh. Heermann 1630.

192

279. O Gott, du frommer Gott.

(Cant. 128. Auf Christi Himmelfahrt allein. B. A. 26, 184.)

A. Fritzsch 1679.
Darmstadt G. B. 1698.

Hörner.

1. O Je _ su, mei _ ne Lust, o Le _ ben mei _ ner See _ len, wenn
4. Alsdann so wirst du mich zu dei _ ner Rech _ ten stel _ len, und

rufst du mich her _ vor aus die _ ser Trau _ er _ höh _ len? Wenn
mir, als dei _ nem Kind, ein gnä _ dig Ur _ theil fäl _ len, mich

werd' ich einst be _ freit, dich, lieb _ ster Je _ su, sehn, und
brin _ gen zu der Lust, wo dei _ ne Herr _ lich _ keit ich

zu dir in dein Reich mit vol _ lem Sprin _ gen gehn?
wer _ de schau _ en an in al _ le E _ wig _ keit.

6 Str. (Str. 1 u. 4 des Liedes: O Jesu meine Lust. In der B. A. nur die 4. Str.)

Matthäus Habermann. 1673.

280. O Gott, du frommer Gott.

(Cant. 64. Sehet, welch' eine Liebe. B. A. 16, 120.)

A. Fritzsch 1679.
Darmstadt G. B. 1698.

Was frag' ich nach der Welt und al_len ih_ren Schätzen, wenn ich mich nur an dir, mein Je_su, kann er_göt_zen? Dich hab' ich ein_zig mir zur Wol_lust vor_ge_stellt: Du, du bist mei_ne, Lust; was frag' ich nach der Welt!

(8 Str.)

Cont. u. Org.

Georg Michael Pfefferkorn 1667.

281. O Gott, du frommer Gott.

Cant. 64. Sehet, welch' eine Liebe. B. A. 16, 372.
Cant. 94. Was frag' ich nach der Welt. B. A. 22, 127.

A. Fritzsch 1679.
Darmstadt G. B. 1698.

1. Was frag' ich nach der Welt, und al _ len ih _ ren
7. Was frag' ich nach der Welt, im Hui muss sie ver _
8. Was frag' ich nach der Welt, mein Je _ sus ist mein

Schä _ tzen, wenn ich mich nur an dir, mein Je _ su, kann er _
schwin _ den, ihr An _ sehn kann durch _ aus den blas_sen Tod nicht
Le _ ben, mein Schatz, mein Ei _ gen_thum, dem ich mich ganz er _

gö _ tzen? Dich hab' ich ein _ zig mir zur Wol_lust vor _ ge _
bin _ den. Die Gü _ ter müs_sen _ fort, und al _ le Lust ver _
ge _ ben, mein gan _ zes Him_mel _ reich und was mir sonst ge _

Cant. 64:

stellt: Du, du bist mei _ ne Lust: was frag' ich nach der Welt!
fällt; bleibt Je _ sus nur bei mir: was frag' ich nach der Welt!
fällt. Drum sag ich noch ein _ mal: was frag' ich nach der Welt!

8 Str. (Str. 1 7 u. 8 des Liedes: Was frag' ich nach der Welt.)

G. Mich. Pfefferkorn 1667.

282. O Gott, du frommer Gott. (B. A. 39 № 146.)

Meiningen G. B. 1693.

O Gott, du from_mer Gott, du Brunnquell al _ ler Ga _ ben,
ohn' den nichts ist, was ist, von dem wir al _ les ha _ ben,

ge - sun - den Leib gib mir, und dass in sol - chem

Leib ein' un - ver - letz - te Seel' und rein Ge - wis - sen bleib.
(8 Str.)

Joh. Heermann 1630.

283. O Herre Gott, dein göttlich Wort.

(Cant. 184. Erwünschtes Freudenlicht. B. A. 37, 95.)

Erfurt 1527.
Jos. Klug G. B. 1535.

O Her - re Gott, dein göttlich Wort ist lang ver - dunke't - blie - ben,
bis durch dein Gnad' uns ist ge - sagt, was Pau - lus hat ge - schrie - ben,
Herr, ich hoff' je, du werdest die in kei - ner Noth ver - las - sen,
die dein Wort recht als treu_e Knecht' im Herz'n und Glauben fas - sen;

Cont.

und an - de - re A - po - stel mehr, aus dein'm gött - li - chen Mun - de: Dass
giebst ihn'n be - reit die Se - lig - keit und läss'st sie nicht ver - der - ben. O

dank'n wir dir mit Fleiss, dass wir er - le - bet hab'n die Stun - de.
Herr, durch dich bitt' ich, lass mich fröh - lich und se - lig ster - ben.
8 Str. (In der B. A. nur die 8. Str.)

Erfurt G. B. 1527.

284. O Herzensangst, o Bangigkeit und Zagen.
(B. A. 39. N? 147.)

Wahrscheinlich von J. S. Bach.

O Her_zens_angst, o Ban _ gig _ keit und Za_gen! Was seh' ich

hier für ei _ ne Lei _ che tra _ gen! Wess ist das Grab, wie

ist der Fels zu nen _ nen? Ich soll ihn ken _ _ nen.
(9 Str.)

Bangig _ keit

Fr. D. Gerh. Müller von Königsberg.

285. O Lamm Gottes, unschuldig. (B. A. 39. N? 148.)

Nic. Decius 1531.
Joh. Spangenberg. G. B. 1545.

O Lamm Got _ tes, un _ schul _ dig, am Stamm des Kreuz's ge_schlach_tet,
all _ zeit er _ fund'n ge_ dul _ dig, wie wohl du warst ver_lach _ tet;

all' Sünd' hast du ge _ tra _ _ gen, sonst müss _ ten wir ver _

za — gen. Er — barm' dich un — ser, o———— Je — su!

(3 Str.)

Nic. Decius 1531.

286. O Mensch, bewein' dein Sünde gross. (B. A. 39. No 149.) Strassburg, Psalmen 1526.

O Mensch, be — wein' dein Sün — de gross, da — rum Christus sein's Va — ters Schooss äu —

Von ei — ner Jungfrau zart und rein für uns er hier ge — bo — ren ward, er

ssert und kam auf Er — den. Den Tod — ten er das Le — ben gab, und

wollt' der Mitt — ler wer — den.

legt' da — bei all' Krankheit ab, bis sich die Zeit her — dran — ge, dass er für uns ge —

op — fert würd. trüg' unsrer Sün — den schwere Bürd' wohl an dem Kreuze lan — ge.

(23 Str.)

Sebald Heyden 1525.

287. O Mensch, schau Jesum Christum an. (B. A. 39. No 150.)

P. Titus 1603.

O Mensch, schau' Je _ sum Chri _ stum an, den wah _ ren Mensch und Gott, der für uns hat ge _ nug ge _ than durch sei _ nen bit _ tern Tod. O wie gro _ sse Angst und Pein durchdrang das Her _ ze mein.

J. Specht.

288. O Traurigkeit, o Herzeleid. (B. A. 39. No 151.)

Joh. Rist 1641.

O Trau _ rig _ keit, o Her _ ze _ leid! Ist das nicht zu be _ kla _ gen? Got _ tes Va _ ters ei _ nigs Kind wird zu Grab ge _ tra _ gen.

(8 Str.)

Joh. Rist 1641.

289. O Welt, ich muss dich lassen.
(B. A. 39. No 140.)

Georg Forsters Liedersammlung 1539.
Die Melodie wird Heinrich Isaak
(um 1490) zugeschrieben.

O Welt, sieh' hier dein Le _ ben am Stamm des Kreuzes schwe _ ben, dein Heil sinkt in den Tod, der gro _ sse Fürst der Eh _ ren lässt wil _ lig sich be _ schwe _ ren mit Schlä _ gen, Hohn und gro _ ssem Spott.
(16 Str.)

P. Gerhardt 1648.

290. O Welt, ich muss dich lassen. (B. A. 39. No 141.)

G. Forsters Liedersammlung 1539.

O Welt, sieh' hier dein Le _ ben am Stamm des Kreuzes schweben, dein Heil sinkt in den Tod! Der gro _ sse Fürst der Eh _ ren lässt wil _ lig sich be _ schwe _ ren mit Schlägen, Hohn und gro _ ssem Spott.
(16 Str.)

P. Gerhardt 1648.

291. O Welt, ich muss dich lassen. (B. A. 39. No 142.) G. Forsters Liedersammlung 1539

O Welt, sieh hier dein Le _ ben am Stamm des Kreuzes schwe _ ben, dein

Heil sinkt in den Tod! Der gro _ sse Fürst der Eh _ ren lässt

wil _ lig sich be _ schwe _ ren mit Schlä _ gen, Hohn und gro _ ssem Spott. Hohn und Spott. (16 Str.)

P. Gerhardt 1648.

292. O Welt, ich muss dich lassen. (Matthäus-Passion. B. A. 4, 164.) G. Forster 1539.

Wer hat dich so ge _ schlagen, mein Heil, und dich mit Pla _ gen so

ü _ bel zu _ ge _ richt? Du bist ja nicht ein Sün _ der, wie

wir und un _ sre | Kin _ der; von | Mis _ se _ tha _ ten | weisst du nicht.

16 Str.(Str. 3 des Liedes: O Welt, sieh' hier dein Leben.)

P. Gerhardt 1648.

293. O Welt, ich muss dich lassen. (Johannes-Passion. B.A.12 I, 31.)

G. Forster 1539.

3. Wer | hat dich so ge _ | schla _ gen,mein Heil, und dich mit | Pla _ gen so
4. Ich, | ich und mei _ ne | Sün _ den, die | sich wie Körnlein | fin _ den des

ü _ bel zu _ ge _ | richt? Du | bist ja nicht ein | Sün _ der wie
San _ des an dem | Meer, die | ha _ ben dir er _ | re _ get das

wir und un _ sre | Kin _ der, von | Mis _ se _ tha _ ten | weisst du nicht.
E _ lend,das dich | schlä _ get, und | das be _ trüb _ te | Mar _ ter _ heer.

16 Str.(Str. 3 u. 4 des Liedes: O Welt, sieh' hier dein Leben.)

P. Gerhardt 1648.

294. O Welt, ich muss dich lassen. (Matthäus-Passion. B. A. 4, 42.)

G. Forster 1539.

Ich bins, ich soll_te bü_ssen, an Händen und an Fü_ssen ge_bun_den in der Höll'. Die Gei_sseln und die Ban_den, und was du aus_ge_stan_den, das hat ver_die_net mei_ne Seel'.

16 Str. (Str. 5 des Liedes: O Welt, sieh' hier dein Leben.)

P. Gerhardt 1648.

295. O Welt, ich muss dich lassen.
(Cant. 13. Meine Seufzer, meine Thränen. B. A. 2, 98.)

G. Forster 1539.

1. In al_len meinen Tha_ten lass ich den höchsten ra_then, der
9. So sei nun See_le dei_ne, und trau_e dem al_lei_ne, der

Cont.

al _ les kann und hat. Er muss zu al _ len Din _ gen, soll's
dich er _ schaf _ fen hat. Es ge _ he wie es ge _ he, dein

an _ ders wohl ge _ lin _ gen, selbst ge _ ben gu _ ten Rath und That.
Va _ ter in der Hö _ he, der weiss zu al _ len Sa _ chen Rath.

9 Str. (Str. 1 u. 9 des Liedes: In allen meinen Thaten. In der B. A. nur die 9. Str.)

P. Fleming 1633.

296. O Welt, ich muss dich lassen.

(Cant. 11. Sie werden euch in den Bann thun. B. A. 10, 150.)

G. Forster 1539.

So sei nun, See_le, dei _ ne, und trau_e dem al _ lei _ ne, der

dich er _ schaf _ fen hat. Es ge _ he, wie es ge _ he: dein

Va _ ter in der Hö _ he, der weiss zu al _ len Sa _ chen Rath.

9 Str. (Str. 9 des Liedes: In allen meinen Thaten.)

P. Fleming 1633

297. O Welt, ich muss dich lassen.
(Cant. 97. In allen meinen Thaten. B. A. 22, 230.)

G. Forster 1539.

(2 Violinen u. Viola.)

So sei nun, See_le, dei _ ne, und trau_e dem al _ lei _ ne, der

dich er _ schaf _ fen hat, es ge_he wie es ge _ he, mein

Va _ ter in der Hö _ he, weiss al _ len Sa _ chen Rath.

9 Str. (Str. 9 des Liedes: In allen meinen Thaten.)

P. Fleming 1633.

298. O Welt, ich muss dich lassen. (B. A. 39. № 139.)

G. Forster 1539.

Nun ru_hen al_le Wäl_der, Vieh, Menschen, Städt' und Fel_der, es schläft die gan_ze Welt; ihr a_ber mei_ne Sin_nen, auf, auf! ihr sollt be_gin_nen, was eu_rem Schö_pfer wohl_ge_fällt. (9 Str.)

P. Gerhardt 1648.

299. O wie selig seid ihr doch, ihr Frommen. (B. A. 39. № 152.)

Joh. Crüger 1649.

O wie se_lig seid ihr doch, ihr From_men, die ihr durch den Tod zu Gott ge_kom_men! Ihr seid ent_gan_gen al_ler Noth, die uns noch hält ge_fan_gen. (6 Str.)

Simon Dach 1638.

300. O wie selig seid ihr doch, ihr Frommen. (B. A. 39 № 153.)

Böhm. Brüder G. B. 1566.

O wie se - lig seid ihr doch, ihr From - men,

die ihr durch den Tod zu Gott ge _ kom . men! Ihr seid ent-gan -

gen al _ lér Noth, die uns noch hält ge - fan - gen.

(6 Str.)

Simon Dach 1639.

301. O wir armen Sünder. (B. A. 39 № 154.)

Lucas Lossius 1561.

O wir ar_men Sün - der! uns _ re Mis_se - that, da_rin wir em_

pfan _ gen und ge_bo _ ren sind, hat ge_bracht uns al _ le in

sol_che gro_sse Noth, dass wir un_ter_wor_fen sind dem ew'_gen Tod.

Ky_rie e _ lei _ son! Chri _ _ ste

e _ lei _ son! Ky _ rie e _ lei _ son!

(6 Str.)

Hermann Bonn 1542.

302. Puer natus in Bethlehem.

(Cant. 65. Sie werden aus Saba alle kommen. B. A. 16, 152.)

L. Lossius 1553 (1561)

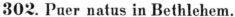

1. Ein Kind ge_born zu Beth_le_hem, Beth _ le_hem, des freu _ et
4. Die Kön'ge aus Sa_ba ka_men dar, ka _ men dar, Gold, Weihrauch,

sich Je_ru_sa_lem. Al_le_lu_ja, Al_le _ lu _ ja!
Myrr_hen brachten sie dar. Al_le_lu_ja, Al_le _ lu _ ja!

9 Str. (Str. 1 u. 4 des Liedes: Ein Kind geboren zu Bethlehem. In der B. A. nur die 4. Str.)

Aus dem 15. Jahrh.
V. Babst, G. B. 1545.

303. Schaut, ihr Sünder.*) (B. A. 39 № 155.) M. A. v. Löwenstern 1644.

Schaut, ihr Sün _ der! Ihr macht mir gro _ sse Pein! Ihr sollt Kin _ der

des To _ des e _ wig sein: durch mein Ster _ ben seid ihr hier _

von be _ freit und nun Er _ ben der wah _ ren Se _ lig _ keit.

(7 Str.)

M. A. v. Löwenstern 1644.

304. Schmücke dich, o liebe Seele.

(Cant. 180. Schmücke dich, o liebe Seele. B. A. 35, 322.) Joh. Crüger 1649.

1. Schmücke dich, o lie _ be See _ le, lass die dunkle Sün _ den höh _ le;
komm an's hel _ le Licht ge _ gan _ gen, fan _ ge herr _ lich an zu pran _ gen;
9. Je _ su wah _ res Brod des Le _ bens, hilf, dass ich doch nicht ver _ ge _ bens,
o _ der mir viel _ leicht zum Scha _ den sei zu dei _ nem Tisch ge _ la _ den.

denn der Herr voll Heil und Gna _ den will dich jetzt zu Ga _ ste la _ den:
Lass mich durch dies See _ len _ Es _ sen dei _ ne Lie _ be recht er _ mes _ sen,

*) Dieses Lied gehört textlich zusammen mit № 170. Heut ist, o Mensch, ein grosser Trauertag.

Der den Him_mel kann ver_wal_ten, will jetzt Her_berg in dir hal_ten.
dass ich auch, wie jetzt auf Er_den, mög ein Gast im Him_mel wer_den.

9 Str. (Str. 1 u. 9 des Liedes: Schmücke dich, o liebe Seele. . In der B. A. nur die 9. Str.)

Joh. Frank 1649.

305. Schwing' dich auf zu deinem Gott.

(Cant. 40. Dazu ist erschienen der Sohn Gottes. B. A. 7, 387.)

Dan. Vetter 1713
von Bach etwas umgebildet.

1. Schwing' dich auf zu dei_nem Gott du be_trüb_te See_le!
2. Schütt_le dei_nen Kopf und sprich: fleuch du al_te Schlan_ge!

Wa_rum liegst du Gott zum Spott in der Schwer_muths höh_le?
was er_neurst du dei_nen Stich, machst mir angst und ban_ge?

Merkst du nicht des Sa_tans List? er will durch sein Käm_pfen
Ist dir doch der Kopf zer_knickt, und ich bin durchs Lei_den

dei_nen Trost, den Je_su Christ dir er_wor_ben, däm_pfen.
mei_nes Hei_lands dir ent_rückt in den Saal der Freu_den.

17 Str. (Str. 1 u. 2 des Liedes: Schwing' dich auf zu deinem Gott. In der B. A. nur die 2. Str.)

Paul Gerhardt 1653.

210

306. Seelenbräutigam. (B. A. 39 No 156.)   Darmstadt G. B. 1698.

See _ len _ bräu _ ti _ gam, Je _ su, Got _ tes Lamm, ha _ be Dank für dei _ ne Lie _ be, die mich zieht aus rei _ nem Trie _ be von der Sün _ den Schlam'm, Je _ su, Got _ tes Lamm. (15 Str.)

Adam Drese 1697.

307. Sei gegrüsset, Jesu gütig. (B. A. 39 No 157.)   Gottfr. Vopelius, G. B. 1682.

Sei ge _ grü _ sset, Je _ su gü _ tig, ü _ ber al _ les Mass sanftmü _ thig! Ach wie bist du _ so zer _ schmissen, und dein gan _ zer Leib zer _ ris _ sen!

Lass mich dei_ne Lieb' er_er_ben und da_rin_nen se_lig ster_ben!
(7 Str.)

Christian Keymann vor 1662.

308. Singen wir aus Herzensgrund.

(Cant. 187. Es wartet Alles auf dich. B. A. 37, 191.)

G. B. der Böhm. Brüder 1544.

1. Sin _ gen wir aus Her _ zens _ grund lo _ ben
4. Gott hat die Erd' schön zu _ ge _ richt't, lässt's an
6. Wir dan _ ken sehr und bit _ ten ihn, dass er uns

Gott mit un _ serm Mund wie er sein Güt an uns be _ weist so hat
Nah _ rung man _ geln nicht; Berg und Thal, die macht er nass, dass dem
geb' des Gei _ stes Sinn, dass wir sol _ ches recht ver steh'n, stets nach

er uns auch ge _ speist: Wie er Thier und Vögel er _ nährt, so hat
Vieh auch wächst sein Gras; aus der Er _ den Wein und Brod schaf _ fet
sein'n Ge _ bo _ ten geh'n, sei _ nen Na _ men ma _ chen gross in Chri _

er uns auch be _ scheert, welch's wir jetzund ha _ ben ver _ zehrt.
Gott und giebt's uns satt, dass der Mensch sein Le _ ben hat.
sto ohn' Un _ ter lass; so sing'n wir das Gra _ ti _ as.

6 Str. (Str. 1 4 u. 6 des Liedes: Singen wir aus Herzensgrund. In der B. A. nur die 4. u. 6. Str.)

Frankfurt a. O. 1568.

309. Singt dem Herrn ein neues Lied. (B.A. 39, No 158.) M. A. von Löwenstern 1644.

Singt dem Herrn ein neu _ es Lied: die Gemeine soll ihn lo _ ben,
weil er ih _ ren Gren _ zen Fried' hat verliehen hoch von o _ ben.

Is _ ra _ el er _ freu' sich des _ _ sen, wel _ cher ihn ge _ ma _ chet

hat, und in Aengsten schaffet Rath: Seiner soll er nicht ver _ ges _ sen.

M. A. von Löwenstern 1644.

310. So giebst du nun, mein Jesu, gute Nacht. (B.A. 39, No 159.) Dresden 1694.

So giebst du nun, mein Je su, gu _ te Nacht! So stirbst du denn, mein al _ ler liebstes

Leben? Ja, du bist hin dein Lei _ den ist voll _ bracht. Mein Gott ist todt, sein

Geist ist auf_ge_ge_ben, mein Gott ist todt, sein Geist ist auf_ge_ge_ben. (24 Str.)

Aug. Pfeifer † 1698

341. Sollt' ich meinem Gott nicht singen. (B. A. 39, No 160.)

Jos. Schop 1641.

Sollt' ich mei_ nem Gott nicht sin_ gen? sollt' ich
Denn ich seh' in al_ len Din_ gen, wie so

ihm nicht dank_ bar sein? Ist doch nichts, als lau_ ter
gut er's mit mir meint.

Lie_ ben, das sein treu_ es Her_ ze regt, das ohn' En_ de

hebt und trägt, die in sei_ nem Dienst sich ü_ ben. Al_ les

Ding währt sei_ ne Zeit, Got_ tes Lieb' in E_ wig_ keit. (12 Str.)

P. Gerhardt 1656.

312. Straf mich nicht in deinem Zorn.

(Cant. 115. Mache dich, mein Geist, bereit. B. A. 24, 132.)

Dresden 1694.

Ma-che dich, mein Geist, be-reit, wa-che, fleh' und be-te,
dass dich nicht die bö-se Zeit un-ver-hofft be-tre-te:
Drum so lasst uns im-mer-dar wa-chen, fle-hen, be-ten,
weil die Angst, Noth und Ge-fahr im-mer nä-her tre-ten;

Cont.

denn es ist Sa-tans List ü-ber vie-le
denn die Zeit ist nicht weit, da uns Gott wird

From-men zur Ver-such-ung kom-men.
rich-ten, und die Welt ver-nich-ten.

10 Str. (Str. 1 u. 10 des Liedes: Mache dich, mein Geist, bereit. In der B. A. nur die 10 Str.)

Joh. Burchard Freystein 1697.

313. Uns ist ein Kindlein heut' gebor'n. (B. A. 39, No. 161.)

Barth. Gesius 1601. (etwas umgebildet)

Uns ist ein Kindlein heut' gebor'n von ei-ner Jung-frau aus-er-kor'n
des freu-en sich die En-gelein, soll-ten wir Men-schen nicht fröhlich sein?

Lob, Preis und Dank sei Gott be-reit't für sol-che Gnad' in E-wig-keit.

(4 Str.)

In der Psalmodia des Luc. Lossius 1579.

314. Valet will ich dir geben. (B.A.39, № 162.)

Melch. Teschner 1613.

Valet will ich dir geben, du arge, falsche Welt,
dein sündlich böses Leben durchaus mir nicht gefällt.

Im Himmel ist gut wohnen, hinauf steht mein Begier, da

wird Gott ewig lohnen dem, der ihm dient all hier.

(5 Str.)

Valerius Herberger 1613.

315. Valet will ich dir geben.

(Johannes-Passion B. A. 12 I, 95.)

Melch. Teschner 1613.

In meines Herzens Grunde, dein Nam' und Kreuz allein
funkelt all' Zeit und Stunde, drauf kann ich fröhlich sein

Erschein' mir in dem

Bilde zu Trost in meiner Noth, wie du, Herr Christ, so milde dich hast geblut't zu Tod.

5 Str. (Str. 3 des Liedes: Valet will ich dir geben.)

Valerius Herberger 1613.

316. Vater unser im Himmelreich.

(B. A. 39, № 163. a. d. Johannes-Passion; s. das Vorwort 12 I.)

Val. Schumann G. B. 1539.

Va _ ter un_ser im Himmelreich, der du uns al _ le hei _ ssest gleich Bru_

der sein und dich ru _ fen an, und willst das Be _ ten von uns ha'n, gib,

dass nicht bet' al _ lein der Mund, hilf, dass es geh' aus Her _ zens Grund.
(9 Str.)

M. Luther 1539.

317. Vater unser im Himmelreich.

(Johannes-Passion B. A. 12 I, 18.)

Val. Schumann G. B. 1539.

Dein Will' ge _ scheh', Herr Gott, zu _ gleich auf Erden wie im Him_melreich; gib

uns Ge _ duld in Leidenszeit, ge _ hor _ sam sein in Lieb' und Leid, wehr

und steu'r al _ lem Fleisch und Blut, das wi _ der dei _ nen Wil _ len thut.

9 Str. (Str. 4 des Liedes: Vater unser im Himmelreich.)

M. Luther 1539.

318. Vater unser im Himmelreich.

(Cant. 101. Nimm von uns, Herr, du treuer Gott. B. A. 23, 32.)

Val. Schumann G. B. 1539.

1. Nimm von uns, Herr, du treu _ er Gott die schwe_re Straf' und
7. Leit' uns mit dei _ ner rech _ ten Hand und seg_ne uns_re.

gro _ sse Noth, die wir mit Sün _ den oh _ ne Zahl ver_
Stadt und Land; gieb uns all _ zeit dein heil'_ges Wort, be_

die _ net ha _ ben all _ zu _ mal. Be _ hüt' vor Krieg und
hüt' vor's Teu _ fels List und Mord, ver _ leih ein sel'_ges

theu _ rer Zeit, vor Seu _ chen, Feu'r und gro _ ssem Leid.
Stün _ de _ lein, auf dass wir e _ wig bei dir sein!

7 Str. (Str. 1 u. 7 des Liedes: Nimm von uns, Herr, du treuer Gott. In der B. A. nur die 7. Str.)

Martin Moller 1584.

319. Vater unser im Himmelreich.
(Cant. 90. Es reifet euch ein schrecklich Ende. B. A. 20 I. 214.)

Val. Schumann G. B. 1539.

Leit' uns mit dei-ner rechten Hand, und seg-ne un-ser' Stadt und Land: gieb

Cont.

uns all-zeit dein heil'ges Wort, be-hüt' vor Teu-fels List und Mord, ver-

leih' ein sel'-ges Stün-de-lein, auf dass wir e-wig bei dir sein!

7 Str. (Str. 7 des Liedes: Nimm von uns Herr du treuer Gott.)

Martin Moller 1584.

320. Vater unser im Himmelreich.
(Cant. 102. Herr, deine Augen sehen nach dem Glauben. B. A. 23, 66.)

Val. Schumann G. B. 1539.

1. So wahr ich le-be, spricht dein Gott, mir ist nicht lieb des Sünders Tod: Viel
6. Heut' lebst du, heut' be-keh-re dich, eh' mor-gen kommt, kann's ändern sich: wer
7. Hilf, o Herr Je-su, hilf du mir, dass ich noch heu-te komm zu dir und

mehr ist dies mein Wunsch und Will', dass er von Sün-den hal-te still, von
heut' ist frisch, ge-sund und roth, ist mor-gen krank, ja wohl gar todt. So
Bu-sse thu' den Au-gen blick, eh' mich der schnel-le Tod hin-rück; auf

sei_ner Bos_heit | keh_re sich und | le_be mit mir | e_wig_lich.
du nun stir_best | oh_ne Buss', dein | Leib und Seel' dort | bren_nen muss.
dass ich heut' und | je_der_zeit zu | mei_ner Heim_fahrt | sei be_reit.

7 Str. (Str. 1, 6 u. 7 des Liedes: So wahr ich lebe, spricht dein Gott. In der B. A. nur die 6 u. 7 Str.)

Joh. Heermann 1630.

321. Verleih' uns Frieden gnädiglich.

(Cant. 126. Erhalt' uns, Herr, bei deinem Wort. B. A. 26, 131.)

Nürnberg 1531.
Jos. Klug G B. 1535.

Ver_leih' uns Frie_den gnädiglich, Herr Gott, zu unsern Zei_ten; es ist doch ja kein

And'_rer nicht, der für uns könnte strei_ten, denn du, un_ser Gott, al_lei_ne. Gieb

unserm Fürst'n und al_ler. Ob_rig_keit Fried' und gut Re_gi_ment, dass wir un_ter ih_

nen ein ge_ruh'g und stil_les Le_ben füh_ren mö_gen in al_ler Gott_

se_lig_keit und Ehr_bar_keit. A_ _ _men.

M. Luther 1531 u. 1566.

322. Verleih' uns Frieden gnädiglich.

Nürnberg 1531.
Jos. Klug G. B. 1535.

(Cant. 42. Am Abend aber desselbigen Sabbaths. B. A. 10, 91.)

Ver-leih' uns Frie-den gnä-dig-lich, Herr Gott, zu unsern Zei-ten, es ist ja doch kein An-drer nicht, der für uns könn-te strei-ten, denn du, uns'r Gott al-lei-ne. Gieb un-sern Für-sten und der Ob-rig-keit Fried' und gut Re-gi-ment, dass wir un-ter ih-nen ein ge-ruh-ig und stil-les Le-ben füh-ren mö-gen in al-ler Gott-se-lig-keit und Ehr-bar-keit, A-men.

M. Luther 1531 u. 1566.

323. Vom Himmel hoch da komm ich her.

(Weihnachts-Oratorium B.A.5 II. 66.)

Val. Schumann G.B. 1539.

1. Schaut, schaut, was ist für Wun_der dar? Die schwarze Nacht wird hell und klar, ein
8. Schaut hin! dort liegt im finstern Stall, des Herrschaft ge _ het ü _ ber _ all: Da

Cont.

gro_sses Licht bricht jetzt her_ein, ihm wei_chet al_ler Ster_ne Schein.
Spei_se vor_mals sucht ein Rind, da ruht jetzt der Jung_frau_en Kind.

18 Str. (Str. 1 u. 8 des Liedes: Schaut, schaut, was ist für Wunder. In der B.A. nur die 8 Str.)

Ob.

P. Gerhardt 1666.

324. Von Gott will ich nicht lassen. (B.A. 39, № 164.)

Joach. Magdeburg 1571.

Von Gott will ich nicht las _ sen, denn er lässt nicht von mir,
führt mich auf rech_ter Stra _ ssen, da ich sonst ir _ ret sehr.

Er reicht mir sei _ ne Hand, den A _ bend wie den Mor _ gen thut

er mich wohl ver _ sor _ gen, sei wo ich woll' in Land.
(9 Str.)

Ludw. Helmbold 1563 od. 64.

325. **Von Gott will ich nicht lassen.** (B. A. 39, No 165.)   Joach. Magdeburg 1571.

Von Gott will ich nicht las - sen, denn er lässt nicht von mir, führt mich auf rech - ter Stra - ssen, da ich sonst ir - ret sehr. Er reicht mir sei - ne Hand, den A - bend wie den Mor - gen thut er mich wohl ver - sor - gen, sei wo ich woll' im Land.

(9 Str.)

Ludw. Helmbold 1563 od. 64.

326. **Von Gott will ich nicht lassen.** (B. A. 39, No 166.)   Joach. Magdeburg 1571.

Von Gott will ich nicht las - sen, denn er lässt nicht von mir,
führt mich auf rech - ter Stra - ssen, da ich sonst ir - ret sehr.

Er reicht mir sei _ ne Hand, den A _ bend und den Mor _ gen thut er mich wohl ver _ sor _ gen, sei wo ich woll' im Land.
(9 Str.)

Ludw. Helmbold 1563 od. 64.

327. Von Gott will ich nicht lassen.

(Unvollständige Cant: Lobt ihn mit Herz und Munde. B. A. 41, 259. Echtheit fraglich.)

Joach. Magdeburg 1571.

Lobt ihn mit Herz und Mun _ de, welch's er uns bei _ des schenkt, das ist ein'

sel'_ge Stun _ de, darin man sein gedenkt; sonst verdirbt al _ le Zeit, die wir zu _

bring'n auf Er _ den: wir sollen se _ lig wer _ den und bleib'n in E _ wigkeit.
9 Str. (Str. 5 des Liedes: Von Gott will ich nicht lassen.)

Ludw. Helmbold 1563 od. 64.

328. Von Gott will ich nicht lassen.

(Cant. 73. Herr, wie du willst. B. A. 18, 104.)

Joach. Magdeburg 1571.

Das ist des Va-ters Wil le, der uns er-schaffen hat;
sein Sohn hat Gut's die Fül le er-wor-ben uns aus Gnad';

auch Gott, der heil'-ge Geist im Glau-ben uns re-gie-ret, zum

Reich des Himmels füh-ret: ihm sei Lob, Ehr' und Preis.

9 Str.(Str. 9 des Liedes: Von Gott will ich nicht lassen.)

Ludw. Helmbold 1563 od. 64.

329. Wachet auf, ruft uns die Stimme.

(Cant. 140. Wachet auf, ruft uns die Stimme. B. A. 28, 284.)

Philipp Nicolai 1599.

1. Wa-chet auf! ruft uns die Stim-me der Wächter sehr hoch
Mit-ter-nacht heisst die-se Stun-de: sie ru-fen uns mit
3. Glo-ri-a sei dir ge-sun-gen mit Menschen= und eng-
Von zwölf Per-len sind die Pfor-ten an dei-ner Stadt; wir

auf der Zin _ ne: wach' auf, du Stadt Je _ ru _ sa _ lem!
hel _ lem Mun _ de: wo seid ihr klu _ gen Jungfrau _ en?
li _ schen Zun _ gen, mit Har _ fen und mit Cymbeln schon.
sind Con _ sor _ ten der En _ gel hoch um dei _ nen Thron.

Wohl _ auf! der Bräutgam kommt, steht auf! die Lam _ pen nehmt.
Kein Aug' hat je ge _ spürt, kein Ohr hat je ge _ hört

Al _ le _ lu _ ja! macht euch be _ reit zu
sol _ che Freu _ de. Dess sind wir froh, i _

der Hoch _ zeit, ihr müs _ set ihm ent _ ge _ gen gehn.
o! i _ o! e _ wig in dul _ ci ju _ bi _ lo.

3 Str.(Str.1 u.3 des Liedes: Wachet auf, ruft uns die Stimme. In der B. A. nur die 3. Str.)

Ph. Nicolai 1598.

330. Wär' Gott nicht mit uns diese Zeit.

(Cant. 14. Wär' Gott nicht mit uns. B A 2, 132.)

Joh. Walter 1524.

1. Wär Gott nicht mit uns die _ se Zeit, so soll Is _ ra _ el sa _ gen. Wär'
3. Gott Lob und Dank, der nicht zu _ gab, dass ihr Schlund uns mögt fan _ gen. Wie

Cont.

Gott nicht mit uns die _ se Zeit, wir hätten müssn ver _ za _ gen, die so ein ar _ mes
ein Vo _ gel des Stricks kömmt ab, ist unsre Seel' ent _ gan _ gen. Strick ist entzwei und

Häuflein sind. ver _ acht't von so viel Menschenkind. die an uns se _ tzen al _ le.
wir sind frei, des Her _ ren Na _ me steht uns bei, des Gottes Him _ mels und Er _ den.

3 Str. (Str. 1 u. 3 des Liedes: Wär' Gott nicht mit uns. In der B. A. nur die 3. Str.)

M. Luther 1524.

331. Warum betrübst du dich, mein Herz. (B. A. 39. Nº 167.)

Barthol. Monoetius 1565.

Wa _ rum betrübst du dich, mein Herz, be _ kümmerst dich und trägest Schmerz nur

um das zeitlich Gut? Ver _ trau' du dei _ nem Herren Gott, der al _ le Ding er _ schaffen hat

(14 Str.)

Einzeldruck, Nürnberg vor 1565.

332. Warum betrübst du dich, mein Herz. (B. A. 39. N⁰ 168.)

Barth. Monoetius 1565.

Wa — rum be — trübst du dich, mein Herz, be — kümmerst dich und
trä — gest Schmerz nur um das zeit — lich Gut? Ver — trau du dei — nem
Her — ren Gott, der al — le Ding' er — schaf — fen hat. (14 Str.)

Einzeldruck, Nürnberg vor 1565.

333. Warum betrübst du dich, mein Herz.

(Cant. 47. Wer sich selbst erhöhet. B. A. 10, 274.)

Barth. Monoetius 1565.

Der zeit — li — chen Ehr' will ich gern ent — behr'n, du woll'st mir nur das
Ew'ge ge — währ'n, das du er — wor — ben hast durch dei — nen her — ben,
bit — tern Tod. Das bitt' ich dich, mein Herr und Gott!

14 Str. (Str. 11 des Liedes: Warum betrübst du dich, mein Herz.)

Einzeldruck, Nürnberg vor 1565.

334. Warum sollt' ich mich denn grämen. (B. A. 39. No. 169.)

J.G. Ebeling 1666.
D. Vetter 1713.

Wa _ rum sollt' ich mich denn grä _ _ _ men? Hab' ich doch Christum noch, wer will mir den neh _ _ men? Wer will mir den Himmel rau _ ben, den mir schon Got _ tes Sohn bei _ ge _ legt im Glau _ ben. (12 Str.)

P. Gerhardt 1653.

335. Warum sollt' ich mich denn grämen.
(Weihnachts-Oratorium. B. A. 5. 124.)

J.G. Ebeling 1666.
D. Vetter 1713.

1. Fröh_lich soll mein Her _ ze sprin _ gen die _ se Zeit, da vor
15. Ich will dich mit Fleiss be _ wah _ _ ren, ich will dir le _ ben

Cont.

Freud' al _ le En _ gel sin _ gen. Hört, hört, wie mit vol _ len Chö _ ren
hier, dir will ich ab _ fah _ _ ren. Mit dir will ich end _ lich schwe_ben

al _ le Luft   lau _ te ruft: Chri _ stus ist ge   bo _ _ ren.
vol _ ler Freud',   oh _ ne Zeit   dort im an _ dern   Le _ ben.

15 Str. (Str. 1 u. 15 des Liedes: Fröhlich soll mein Herze springen. In der B. A. nur die 15. Str.)

P. Gerhardt 1656.

336. Was betrübst du dich, mein Herze. (B. A. 39. Nº 170.)   Wahrscheinlich von J. S. Bach.

Was be _ trübst du   dich, mein Herze,   wa _ rum grämst du   dich in mir?

Sa _ ge, was für   Noth dich schmerze,   wa _ rum ist kein   Muth in dir?

Was für Un _ glück   hat dich troffen   und wo bleibt dein   freu _ dig Hof _ fen?

Wo ist dei _ ne   Zu _ ver _ sicht,   die zu Gott sonst   war ge _ richt't?
(12 Str.)

Zacharias Hermann um 1690.

337. Was bist du doch, o Seele, so betrübet.

(B. A. 39. Nº 171.)

Freylinghausen G. B. 1704 (1703.)

Was bist du doch, o See-le so be-trü-bet,
dass dir der Herr ein Kreuz zu tra-gen giebet?
Was grämst du dich so ängstig-lich, als wür-dest du drum nicht von Gott ge-lie-bet?

(8 Str.)

Rud. Fried. von Schult vor 1704.

338. Was Gott thut, das ist wohlgethan.

(Cant. 144. Nimm, was dein ist. B. A. 30, 87.)

Nürnb. G. B. 1690.

Was Gott thut, das ist wohlge-than, es bleibt gerecht sein Wil-le;
wie er fängt meine Sa-chen an, will ich ihm hal-ten stil-le. Er ist mein Gott, der
in der Noth mich wohl weiss zu er-hal-ten: drum lass' ich ihn nur wal-ten.

(6 Str.)

Samuel Rodigast 1675.

339. Was Gott thut, das ist wohlgethan. (Trauungschoral B. A. 13 I, 147.)

Nürnb. G. B. 1690.

Hörner.

Was Gott thut, das ist wohl-ge-than, es bleibt ge-recht sein Wil-le;
wie er fängt mei-ne Sa-chen an, will ich ihm hal-ten stil-le.

Cont.

Er ist mein Gott, der in der Noth mich wohl weiss zu er-

hal - ten; drum lass ich ihn nur wal - ten
(6 Str.)

Samuel Rodigast 1675.

340. Was Gott thut, das ist wohlgethan.

(Cant. 12. Weinen, Klagen. B. A. 2, 78.)
(Cant. 69. Lobe den Herrn, meine Seele. B. A. 16, 379.)

Nürnb. G. B. 1690.

Oboe oder Trompete.

Was Gott thut, das ist wohl - ge - than, da - bei will ich ver - blei - ben.
Es mag mich auf die rau - he Bahn Noth, Tod und E - lend trei - ben:

so wird Gott mich ganz vä - ter - lich in sei - nen Ar - men

hal - - ten. Drum lass ich ihn nur wal - - ten.
6 Str. (Str. 6 des Liedes: Was Gott thut, das ist wohlgethan.)

S. Rodigast 1675

341. Was Gott thut, das ist wohlgethan.

(Cant. 99. Was Gott thut, das ist wohlgethan. B. A. 22, 276.)

Nürnberg G. B. 1690.

Was Gott thut, das ist wohl-ge-than da-bei will ich ver-blei—ben!
Es mag mich auf die rau—he Bahn Noth, Tod und E-lend trei—ben.

so wird Gott mich ganz vä-ter-lich in sei—nen Ar—men

hal—ten; drum lass ich ihn nur wal—ten.

6 Str. (Str. 6 des Liedes: Was Gott thut, das ist wohlgethan.)

S. Rodigast 1675.

342. Was mein Gott will, das g'scheh' allzeit.

(Matthäus-Passion B. A. 4, 83.)

Joach. Magdeburg 1572.
Ursprünglich franz. Melodie.

Was mein Gott will, das g'scheh' allzeit, sein Will' der ist der be—ste;
Zu hel-fen den'n er ist bereit, die an ihn glauben fe—ste;

er hilft aus Noth, der fromme Gott, und züch-ti-get mit Ma—ssen. Wer

Gott ver‗traut, fest auf ihn baut, den will er nicht ver‗las sen. (1 Str.)

Albrecht d. J. Markgraf zu Brandenburg-Culmbach 1556.

343. Was mein Gott will', das g'scheh' allzeit.

(Cant. 144. Nimm, was dein ist. B. A. 30, 92.)

Joach. Magdeburg 1572.

Was mein Gott will, das g'scheh' all‗zeit, sein Wille ist der be ‗ ste;
zu hel‗fen den'n er ist be‗reit, die an ihn glauben fe ‗ ste.

Er hilft aus Noth, der from‗me Gott, und züch‗ti‗

er hilft aus Noth,

get mit Ma ‗ ssen. Wer Gott ver‗traut, fest auf ihn baut, den

will er nicht ver‗las ‗ ‗ ‗ ‗ sen. (1 Str.)

Albrech d. J. Markgraf zu Brandenburg-Culmbach 1556.

344. Was mein Gott will, das g'scheh' allzeit.

(Cant. 72. Alles nur nach Gottes Willen. B. A. 18, 84.)

Joach. Magdeburg 1572.

Cont.

Was mein Gott will, das g'scheh' allzeit, sein Will' der ist der be - ste;
zu hel-fen den'n er ist bereit, die an ihn glau-ben fe - ste.

Er hilft aus Noth, der from-me Gott, und züch-ti-get mit Ma ssen. Wer

Gott ver-traut, fest auf ihn baut, den will er nicht ver - las - sen.
(4 Str.)

Albrecht d. J. Markgraf zu Brandenburg-Culmbach 1556.

345. Was mein Gott will, das g'scheh' allzeit.

(Cant. 111. Was mein Gott will. B. A. 24, 28.)

Joach. Magdeburg 1572.

Noch eins, Herr, will ich bit-ten dich, du wirst mir's nicht ver - sa - gen:
wann mich der bö-se Feind anficht, lass mich doch nicht ver - za - gen.

Hilf steu'r und wehr', ach Gott, mein Herr, zu Eh-ren dei-nen Na-men. Wer

das be-gehrt, dem wird's gewährt, drauf sprech' ich fröh-lich: A — men!

4 Str. (Str. 4 des Liedes: Was mein Gott will, das g'scheh' allzeit.)

Albrecht d. J. Markgraf zu Bandenburg-Culmbach 1856.

346. Was mein Gott will, das g'scheh' allzeit.

(Cant. 65. Sie werden aus Saba alle kömmen. B. A. 16, 166.)

Joach. Magdeburg 1572.

Ich hab' in Gottes Herz und Sinn mein Herz und Sinn er - ge - ben;
was bö - se scheint, ist mir Ge-winn, der Tod selbst ist mein Le - ben:
Ei nun, mein Gott, so fall' ich dir ge-trost in dei-ne Hän - de,
nimm mich, und mach' es so mit mir bis an mein letztes En - de.

Ich bin ein Sohn — dess, der den Thron des Him - mels
Wie du wohl weisst, — dass mei-nem Geist da-durch sein

auf - ge - zo - gen: ob er gleich schlägt und Kreuz auf -
Weg ent - ste - he, und dei - ne Ehr' je mehr und

legt, bleibt doch sein Herz ge - wo - gen
mehr sich in mir selbst er - hö - he.

12 Str. (Str. 1 u. 10 des Liedes: Ich hab' in Gottes Herz und Sinn.)

P. Gerhardt 1648.

347. Was mein Gott will, das g'scheh' allzeit.

(Cant. 92. Ich hab' in Gottes Herz und Sinn. B. A. 22, 68.)

Joach. Magdeburg 1572.

Soll ich denn auch des To - des Weg und fin - stre Stra — — ssen rei — sen;
wohl - an! so tret' ich Bahn und Steg, den mir dein' Au — gen wei — sen.

Du bist mein Hirt, der Al - les wird zu solchem En - de keh — ren, dass

ich ein - mal in deinem Saal dich e - wig mö — — ge eh — ren.

12 Str. (Str. 12 des Liedes: Ich hab' im Gottes Herz und Sinn.)

P. Gerhardt 1648.

348. Was mein Gott will, das g'scheh' allzeit.

(Cant. 103. Ihr werdet weinen und heulen. B. A. 23, 94.)

Joach. Magdeburg 1572.

1. Barm - herz' - ger Va - ter, höchster Gott, ge - denk an dei - ne Wor - te,
du sprichst: Ruf mich an in der Noth, und klopf an mei - ne Pfor - te,
9. Ich hab' dich ei - nen Au - gen - blick, o lie - bes Kind, ver - las - sen;
sieh' a - ber, sieh' mit grossem Glück und Trost ohn' al - le Ma - ssen:

so will ich dir Er - ret - tung hier, nach dei - nem Wunsch er - wei - sen, dass
will ich dir schon die Freuden - kron auf - se - tzen und ver - eh - ren. Dein

du mit Mund und Her - zensgrund in Freu - den mich sollst prei - sen.
kur - zes Leid soll sich in Freud' und e - wig Wohl ver - keh - ren.

18 Str. (Str. 1 u. 9 des Liedes: Barmherz'ger Vater. In der B. A. nur die 9 Str.)

P. Gerhardt 1656.

349. Was willst du dich, o meine Seele. (B. A. 39, № 172.)

Gottfr. Vopelius 1682

Was willst du dich, o meine See_le, krän _ ken? Meinst du, dass Gott nicht

kann an dich ge_den _ ken? Er weiss gar wohl, wann er dir hel _ fen

soll; denn er ist selbst der Gnad' und Gü _ te voll. Halt ihm nur stil _

le; es ge _ het so sein Wil _ _ le. Wie kann er dich doch

lassen in den Ban _ den. Du bist ja sei _ ne Braut. Wer hofft in Gott und

dem ver _ traut, wird nim _ mer _ mehr zu Schan _ _ den.
(9 Str.)

? Dietr. von dem Werder † 1657

350. Welt, ade! ich bin dein müde.

(Cant. 27. Wer weiss, wie nahe mir mein Ende. B. A. 5 I, 244.)

Mel. u. Harm. von Johann Rosenmüller.

Joh. G. Albinus 1649.

351. Weltlich Ehr' und zeitlich Gut. (B. A. 39, № 173.) Vögelin G. B. 1563.

Weltlich Ehr' und zeit_lich Gut, Wol_lust und al_ler Ü_ber_muth ist e_ben wie ein Gras; al_le Pracht und stolzer Ruhm verfällt wie ein'Wiesen_blum; o Mensch, be_denk' e_ben das und ver_sor__ge dich doch bass. (10 Str.)

Mich. Weisse 1531.

352. Wenn ich in Angst und Noth. (B. A. 39, № 174.) M. A. v. Lowenstern 1644.

Wenn ich in Angst und Noth mein' Au_gen heb' em_por zu dei_nen Ber_gen, Herr! mit Seuf_zen und mit Fle_hen, so reichst du mir dein Ohr, dass ich nicht darf be_trübt von dei_nem Ant_litz ge_hen. (7 Str.)

M. A. v. Löwenstern 1644.

353. **Wenn mein Stündlein vorhanden ist.** (B.A. 39, Nº 175.)

Kirchen Gesänge Frankfurt a. M. 1569.

Wenn mein Stündlein vor_handen ist und ich soll fahr'n mein' Stra_sse, so

g'leit du mich. Herr Je_su Christ, mit Hülf' mich nicht ver_las_se: mein' Seel' an meinem

letzten End' be_fehl' ich, Herr, in dei_ne Händ', du wirst sie wohl be_wah_ren.
wohl be_wah_ren.
(5 Str.)

Nic. Herman 1562.

354. **Wenn mein Stündlein vorhanden ist.** (B.A. 39, Nº 176.)

Frankfurt a. M. 1569.

Wenn mein Stündlein vor_han_den ist und ich soll fahr'n mein' Stra_sse, so

g'leit du mich, Herr Je_su Christ, mit Hülf' mich nicht ver_las_se; mein' Seel' an meinem

letz _ ten End' be_fehl' ich, Herr, in dei _ ne Händ', du wirst sie wohl _____ be_wah _ ren.
(3 Str.)

Nic. Herman 1562.

355. Wenn mein Stündlein vorhanden ist. (B. A. 39, № 177.)

Frankfurt a. M. 1569.

Wenn mein Stünd_lein vor _ han_den ist und ich soll fahr'n mein'

Stra _ sse, so g'leit du mich, Herr Je _ su Christ, mit Hülf' mich nicht ver _

las _ se: mein' Seel' an mei _ nem letz_ten End' be_ fehl' ich, Herr, in

dei _ ne Händ', du wirst sie wohl _____ be _ wah _ _ ren.
(5 Str.)

Nic. Herman 1562.

356. Wenn mein Stündlein vorhanden ist.
(Cant. 95. Christus, der ist mein Leben. B. A. 22, 153.)

Frankfurt a. M. 1569.

Viol. I.

Weil du vom Tod er- standen bist, werd' ich im Grab nicht blei- ben, dein letztes Wort mein

Auffahrt ist, Tod's- furcht kannst du ver- trei- ben: denn wo du bist, da komm ich hin, dass

drum fahr ich hin

ich stets bei dir leb und bin. Drum fahr ich hin mit Freu- den.

5 Str. (Str. 4 des Liedes: Wenn mein Stündlein vorhanden ist.)

Nic. Herman 1562.

357. Wenn mein Stündlein vorhanden ist.
(Cant. 31. Der Himmel lacht, die Erde jubiliret. B. A. 7, 50.)

Frankfurt a. M. G. B. 1569.

Viol. I u. Tromp. I.

V. II.

So fah'r ich hin zu Je- su Christ, mein' Arm' thu ich aus- stre- cken;
so schlaf' ich ein und ru- he fein; kein Mensch kann mich auf- we- cken:

denn Je — sus Chri — stus, Got — tes Sohn, der wird die Him — mels —

thür auf — thun, mich führ'n zum ew' — gen Le — ben.
zum ew — gen Le — — ben.

5 Str. (Str. 5 des Liedes: Wenn mein Stündlein vorhanden ist.)

Nic. Herman 1562.

358. Wenn wir in höchsten Nöthen sein. (B. A. 39, N⁰ 178.)

Franz Eler 1588.

Wenn wir in höch — — sten Nö — then sein und
so ist dies un — — ser Trost al — lein, dass

wis — sen nicht, wo — aus und ein, und fin — den we — der
wir zu — sam — men ins — ge — mein dich an — ru — fen, du

Hülf' noch Rath, ob wir gleich sor — gen früh und spat,
treu — er Gott, um Ret — tung aus der Angst und Noth.

(7 Str.)

Paul Eber 1560.

359. Wenn wir in höchsten Nöthen sein. (B. A. 39 № 179.)

Franz Eler 1588.

Wenn wir in höchsten Nö_then sein und wis_sen nicht, wo aus und ein, und
so ist das un_ser Trost al_lein, dass wir zu_sam_men ins_ge_mein dich_

fin_den we_der Hülf' noch Rath, ob wir gleich sor_gen früh und spat,
an_ru_fen, du treu_er Gott, um Ret_tung aus der Angst und Noth. (7 Str.)

Paul Eber 1560.

360. Werde munter, mein Gemüthe.

(Cant. 146. Wir müssen durch viel Trübsal. B. A. 30, 190.)

Joh. Schop 1642.

Wer_de mun_ter, mein Ge_mü_the, und ihr Sin_nen geht her_für,
dass ihr prei_set Got_tes Gü_te, die er hat ge_than an mir,

da er mich den gan_zen Tag vor so man_cher schwe_ren Plag

hat er_hal_ten und be_schü_tzet, dass mich Sa_tan nicht be_schmitzet. (12 Str.)

Joh. Rist 1642.

Text nur untergelegt; in der B. A. fehlt jede Textangabe.

361. Werde munter, mein Gemüthe. (Matthäus-Passion.) (B.A. 4, 173.)

Joh. Schop 1642.

Cont.

Bin ich gleich von dir ge-wi-chen, stell' ich, mich doch wie-der ein.
Hat uns doch dein Sohn ver-glichen durch sein Angst und To-des-pein.

Ich ver-leug-ne nicht die Schuld, a-ber dei-ne Gnad' und Huld

ist viel grö-sser als die Sün-de, die ich stets in mir be-fin-de.

12 Str. (Str. 6 des Liedes: Werde munter, mein Gemüthe.)

Joh. Rist 1642.

362. Werde munter, mein Gemüthe.

(Cant. 55. Ich armer Mensch, ich Sündenknecht. B. A. 12 II, 86.)

Joh. Schop 1642.

Bin ich gleich von dir ge-wi-chen, stell' ich mich doch wieder ein:
hat uns doch dein Sohn ver-glichen durch sein' Angst und To-des-pein.

Ich ver-leug-ne nicht die Schuld, a-ber dei-ne Gnad' und Huld

ist viel grö-sser als die Sün-de, die ich stets in mir be-fin-de.

12 Str. (Str. 6 des Liedes: Werde munter, mein Gemüthe.)

Joh. Rist 1642.

363. Werde munter, mein Gemüthe. (B. A. 39 No. 106.)

Joh. Schop 1612.

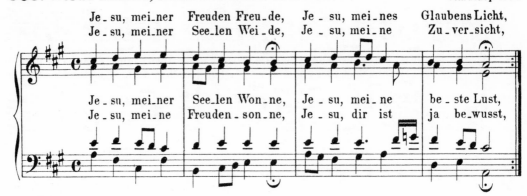

Je—su, mei—ner Freuden Freu—de, Je—su, mei—nes Glaubens Licht,
Je—su, mei—ner See—len Wei—de, Je—su, mei—ne Zu—ver—sicht,

Je—su, mei—ner See—len Won—ne, Je—su, mei—ne be—ste Lust,
Je—su, mei—ne Freuden—son—ne, Je—su, dir ist ja be—wusst,

o wie kömmt dein Na—me mir so ge—wünscht und lieb—lich für.

wie ich dich so herz—lich lieb' und mich oh—ne dich be—trüb;

Dein Ge—dächt—niss, Je—su, ma—chet, dass mein trau—rigs Her—ze la—chet.

6 Str. Wilh. Sacer 1671.

d'rum, o Je—su, komm zu mir, und bleib bei mir für und für!

(19 Str.)

Mart. Jahn 1671.

364. Werde munter, mein Gemüthe. (B. A. 39 No. 107.)

Joh. Schop 1612.

Je—su, mei—ner Freu—den Freu—de, Je—su, mei—nes Glau—bens Licht,
Je—su, mei—ner See—len Wei—de, Je—su, mei—ne Zu—ver—sicht,

Je—su, mei—ner See—len Won—ne, Je—su, mei—ne be—ste Lust,
Je—su, mei—ne Freu—den—son—ne, Je—su, dir ist ja be—wusst,

o wie kömmt dein Na_me mir so ge_wünscht und lieb_lich für.

wie ich dich so herz_lich lieb' und mich oh_ne dich be_trüb;

Dein Ge_dächtniss, Je_su ma_chet, dass mein trau_rig's Her_ze la_chet.

6 Str. Wilh. Sacer 1671.

d'rum, o Je_su, komm zu mir, und bleib' bei mir für und für!

(19 Str.)

Mart. Jahn 1671.

365. Werde munter, mein Gemüthe.

(Cant. 154. Mein liebster Jesu ist verloren. B. A. 32, 65.)

Joh. Schop 1642.

Je_su, mein Hort und Er_ret_ter,
Je_su, star_ker Schlangen_tre_ter,
Je_su, mei_ne
Je_su, mei_nes
Zu_ver_sicht,
Le_bens Licht!

Wie ver_lan_get mei_nem Her_zen, Je_su_lein, nach dir mit Schmerzen!

Komm', ach komm', ich war_te dein, komm' o lieb_stes Je_su_lein!

19 Str. (Str. 2 des Liedes: Jesu meiner Seelen Wonne.)

Mart. Jahn (Janus) 1671.

366. Wer Gott vertraut, hat wohlgebaut. (B. A. 39 № 180.)

Joach. Magdeburg 1572.
Sethus Calvisius 1597.

Wer Gott ver_traut, hat wohl_ge_baut im Him_mel und auf Er_
Wer sich ver_lässt auf Je _ sum Christ, dem muss der Him_mel wer_

den, im Him_mel und auf Er_ den; Da_rum auf dich all' Hoffnung ich
den, dem muss der Him_mel wer _ den.

ganz fest und steif thu' se _ tzen. Herr Je _ su Christ, mein Trost du

bist in To_des_noth und Schmer _ zen, in To _ des_ noth und Schmer _ zen.

(3 Str.)

Joach. Magdeburg 1571.
(nur 1 Str.)

367. Wer nur den lieben Gott lässt walten. (B. A. 39 № 180.)

Georg Neumark 1640

Wer nur den lie _ ben Gott lässt wal _ ten und hof_fet auf ihn al _ le zeit,
den wird er wun_der_bar er_hal _ ten in al_lem Kreuz und Trau_rig _ keit.

Wer Gott, dem Al - ler - höch - sten, traut, der hat auf kei - nen Sand ge - baut.

(7 Str.)

G. Neumark 1640.

368. Wer nur den lieben Gott lässt walten.

(Cant. 88. Siehe, ich will viel Fischer aussenden. B. A. 20 I, 178.)

G. Neumark 1640.

Sing, bet' und geh' auf Got - tes We - gen, verricht das Dei - ne nur ge - treu,
und trau des Himmels reichem Se - gen, so wird er bei dir wer - den neu:

denn wel - cher sei - ne Zu - ver - sicht auf Gott setzt, den ver - lässt er nicht.

7 Str. (Str 7 des Liedes: Wer nur den lieben Gott lässt walten.)

G. Neumark 1640.

369. Wer nur den lieben Gott lässt walten.

(Cant. 93. Wer nur den lieben Gott lässt walten. B. A. 22, 94.)

G. Neumark 1640.

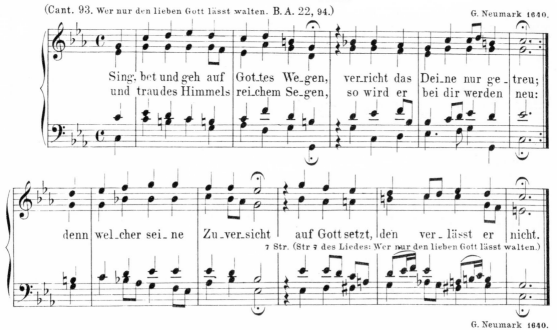

Sing, bet und geh auf Got - tes We - gen, ver - richt das Dei - ne nur ge - treu;
und trau des Himmels reichem Se - gen, so wird er bei dir werden neu:

denn wel - cher sei - ne Zu - ver - sicht auf Gott setzt, den ver - lässt er nicht.

7 Str. (Str 7 des Liedes: Wer nur den lieben Gott lässt walten.)

G. Neumark 1640.

370. Wer nur den lieben Gott lässt walten.
(Trauungscantate. Gott ist unsre Zuversicht. B. A. 13 I, 144.)

G. Neumark 1610.

So wandelt froh auf Gottes Wegen, und was ihr thut, das thut getreu!
Verdienet eures Gottes Segen, denn der ist alle Morgen neu:
denn welcher seine Zuversicht auf Gott setzt den verlässt er nicht.

7 Str. (Etwas geänderte Str. 7 des Liedes: Wer nur den lieben Gott lässt walten.)

G. Neumark 1640.

371. Wer nur den lieben Gott lässt walten.
(Cant. 179. Siehe zu, dass deine Gottesfurcht nicht Heuchelei sei. B. A. 35, 292.)

G. Neumark 1640.

Ich armer Mensch, ich armer Sünder, steh' hier vor Gottes Angesicht.
Ach Gott, ach Gott verfahr' gelinder, und geh' nicht mit mir in's Gericht.

Cònt.

Erbarme dich, erbarme dich, Gott, mein Erbarmer. über mich!
(8 Str.)

Christoph Tietze 1663.

372. Wer nur den lieben Gott lässt walten.
(Cant. 166. Wo gehest du hin? B. A. 33, 122.)

G. Neumark 1640.

Wer weiss wie nahe mir mein Ende! hin geht die Zeit, her kommt der Tod.
Ach wie geschwinde und behende kann kommen meine Todesnoth.

Mein Gott, ich bitt' durch Chri_sti Blut:mach's nur mit mei_nem En_de gut! (12 Str.)

Aemilia Juliana, Gräfin zu Schwarzburg-Rudolstadt 1688.

373. Wer nur den lieben Gott lässt walten.

(Cant. 84. Ich bin vergnügt mit meinem Glücke. B. A. 20 I, 98.)

G. Neumark 1640.

Ich leb'· in_dess in dir vergnü _ get, und sterb'ohn' al_le Küm_merniss,
mir g'nü_get,wie es meinGott fü _ get, ich glaub' und bin es ganz gewiss:

durch dei_ne Gnad'und Chri_sti Blut machst du's mit mei_nem En_de gut.

12 Str. (Str. 12 des Liedes: Wer weiss, wie nahe mir mein Ende.)

Aemilia Juliana, Gräfin zu Schwarzb.-Rudolstadt 1688.

374. Wie bist du, Seele, in mir so gar betrübt. (B. A. 39 № 182.)

Christian Brunmann (Mart. Hanke) 1675.

Wie bist du See _ le in mir so gar be_trübt?Dein

Hei_land le _ bet, der dich ja treu_lich liebt, er _ gieb dich gänz_lich

sei_nem Wil _ len, er kann al _ lein dein Trauern stil _ len.

Tobias Zeutschner 1667

375. Wie schön leuchtet der Morgenstern. (B. A. 39. No 183.)   Philipp Nicolai 1599.

Wie schön leuchtet der Morgen_stern voll Gnad'und Wahrheit von dem Herrn,die
du Sohn Da_vids aus Jakobs Stamm, mein Kö_nig und mein Bräuti _ gam, hast

sü_sse Wur_zel Jes_se; Lieb_lich, freundlich, schön und herrlich,
mir mein Herz be_ses_sen.

gross und ehr_lich, reich von Ga _ ben, hoch und sehr präch_tig er _ ha _ ben. (7 Str.)

Ph. Nicolai 1599.

376. Wie schön leuchtet der Morgenstern.

(Cant. 172. Erschallet, ihr Lieder. B. A. 35, 69.)   Ph. Nicolai 1599.

Violine I.

Von Gott kommt mir ein Freu_den_schein,wenn du mit dei_nen
O Herr Je_su, mein trau_tes Gut, dein Wort, dein Geist, dein

Au _ ge _ lein mich freund_lich thust an _ bli _ cken.
Leib und Blut mich in _ ner_lich er _ qui _ cken.

Nimm mich freund _ lich in dein' Ar _ me, dass ich war _ me

werd' von Gna _ den: Auf dein Wort komm' ich ge _ la _ den.

7 Str. (Str. 4 des Liedes: Wie schön leuchtet der Morgenstern.)

Ph. Nicolai 1599.

377. Wie schön leuchtet der Morgenstern.

(Cant. 36. Schwingt freudig euch empor. B. A. 7, 243.)

Ph. Nicolai 1599.

Zwingt die Sai _ ten in Cy _ tha _ ra und lasst die sü _ sse Mu _ si _ ca ganz

dass ich mö _ ge mit Je _ su _ lein, dem wunder _ schönen Bräut'gam mein, in

freuden _ reich er _ schal _ len. Sin _ get, sprin _ get,. ju _ bi _ li _ ret,

ste _ ter Lie _ be wal _ len.

tri _ um _ phi _ ret, dankt dem Her _ _ ren! Gross ist der Kö _ nig der Eh _ ren.

7 Str. (Str. 6 des Liedes: Wie schön leuchtet der Morgenstern.)

Ph. Nicolai 1599.

378. Wie schön leuchtet der Morgenstern.

(Cant. 1. Wie schön leuchtet der Morgenstern. B. A. 1, 51.)

Ph. Nicolai 1599.

Wie bin ich doch so herz_lich froh, dass mein Schatz ist das
Er wird mich doch zu sei_nem Preis auf_neh_men in das

A und O, der An_fang und das En _ _ de!
Pa_ra_deis; des klopf ich in die Hän _ de.

A _ men, A _ men. Komm, du schö_ne Freu_den_kro_ne,

bleib nicht lan _ ge: dei_ner ward ich mit Ver_lan_gen.

7 Str. (Str. 7 des Liedes: Wie schön leuchtet der Morgenstern.)

Ph. Nicolai 1599.

379. Wir Christenleut'.

(Cant. 40. Dazu ist erschienen der Sohn Gottes. B. A. 7, 377.)

Dresden G. B. 1593.

1. Wir Chri_sten_leut', wir Chri_sten_leut, hab'n jetz_und Freud', weil
3. Die Sünd' macht Leid, die Sünd' macht Leid, Chri_stus bringt Freud', weil

uns zu Trost ist Chri_stus Mensch ge_bo_ren; hat uns er_löst, wer
er zu Trost in die_se Welt ge_kom_men. Mit uns ist Gott nun

sich dess tröst't und gläu_bet fest, soll nicht wer_den ver_lo_ren.
in der Noth: wer ist, der uns als Chri_sten kann ver_dam_men?

5 Str. (Str. 1 u. 3 des Liedes: Wir Christenleut'. In der B. A. nur die 3. Str.)

Caspar Füger, um 1552.

380. Wir Christenleut.

(Cant. 110. Unser Mund sei voll Lachens. B. A. 23, 324.)

Dresden G. B. 1593.

Al_le_lu_ja! ge_lobt sei Gott! sin_gen wir All' aus

un_sers Her_zens Grun_de; denn Gott hat heut' ge_

macht solch Freud', der wir ver_ges_sen soll'n zu kei_ner Stun_de.

5 Str. (Str. 5 des Liedes: Wir Christenleut'.)

Caspar Füger, um 1552.

381. Wir Christenleut'. (Weihnachts-Oratorium. B. A. 5 I, 126.)

Dresden G. B. 1593.

Seid froh, dieweil, seid froh, die weil dass eu er Heil ist

Cont.

hie ein Gott und' auch ein Mensch ge _ bo _ ren, der wel _ cher ist der

Herr und Christ in Da _ vids Stadt von Vie _ len aus _ er _ ko _ ren.

(Stark veränderte Str. 2 des Liedes: Wir Christenleut'.)

382. Wir glauben all' an einen Gott. (B. A. 39. № 184.)

Joh. Walter G. B. 1524.

Wir_____ glau _ ben all_____ an ei _ nen

Gott. Schöpfer Him _ mels und der Er _ den, der sich zum

Va-ter ge-ben hat, dass wir sei-ne Kin-der wer-den.

Er will uns all-zeit er-näh-ren, Seel' und Leib auch wohl be-

wah-ren, al-lem Un-fall will er weh-ren, kein

Leid soll uns wi-der-fah-ren, er sor-

-get für uns, hüt t und

wacht es steht Al-les in sei-ner Macht. (3 Str.)

M. Luther 1524.

383. **Wo Gott der Herr nicht bei uns hält.** (B. A. 39. № 6.)

Jos. Klug G. B. 1535.

Wo Gott der Herr nicht bei uns hält, wenn unsre Fein-de to-ben, wo Er I-
und Er uns-rer Sach' nicht zu-fällt im Himmel hoch dort o-ben,

sraels Schutz nicht ist und sel-ber bricht der Feinde List, so ist's mit uns ver-lo-ren.

(8 Str.)

Justus Jonas 1524.

384. **Wo Gott der Herr nicht bei uns hält.**

(Cant. 178. Wo Gott der Herr nicht bei uns hält. B. A. 35, 272.)

Jos. Klug G. B. 1535.

1. Die Feind sind all in dei-ner Hand, da zu all ihr Ge-dan-ken;
ihr An-schläg' sind dir wohl be-kannt: hilf nur, dass wir nicht wan-ken.
2. Den Him-mel und auch die Er-den hast du, Herr Gott, ge-grün-det.
Dein Licht lass uns hel-le wer-den, das Herz uns werd'ent-zün-det

Ver-nunft wi-der den Glau-ben ficht, aufs Künf-tig will sie
in rech-ter Lieb' des Glau-bens dein, bis an das End' be-

trau-en nicht, da du wirst sel-ber trö-sten.
stän-dig sein: die Welt lass im-mer mur-ren!

8 Str. (Str. 1 u. 8 des Liedes: Wo Gott der Herr nicht bei uns hält.)

Justus Jonas 1524.

385. Wo Gott der Herr nicht bei uns hält. (B. A. 39, 4.)

Jos. Klug G. B. 1535.

Joh. Gigas (Heune) 1561.

386. Wo Gott der Herr nicht bei uns hält.
(Cant. 114. Ach lieben Christen, seid getrost. B. A. 24, 108.)

Jos. Klug G. B. 1535.

Joh. Gigas (Heune) 1561.

387. Wo Gott der Herr nicht bei uns hält.

(Cant. Siehe, es hat überwunden der Löwe. B. A. 41, 258. Echtheit fraglich.)

Trompeten.

Jos. Klug G. B. 1535.

1. O Gott, der du aus Her- zens grund die Men- schen kin- der lie- best; Wir dan- ken dir, dass dei- ne Treu bei uns ist al- le Mor- gen neu in un- serm gan- zen Le- ben.

und uns zu al- ler Zeit und Stund' viel Gu- tes reich- lich gie- best: Lass sie des Teu- fels Mord und List, und was sein Reich und An- hang ist, durch dei- ne Kraft zer- stö- ren.

9. Lass dei- ne Kirch' und un- ser Land der En- gel Schutz em- pfin- den, Lass sie des Heer dein Lob er- klingt und Hei- lig! Hei- lig! singt ohn' ei- ni- ges Auf- hö- ren.

dass Fried' und Freud' in al- lem Stand ein Je- der mö- ge fin- den: da al- les

10. Zu- letzt lass sie an un- serm End' den Sa- tan von uns ja- gen, Lass sie des

und uns- re Seel' in dei- ne Händ' und A- bra- hams Schooss tra- gen,

10 Str. (Str. 1, 9 u. 10 des Liedes: O Gott, der du aus Herzensgrund. In der B.A. nur die 9. u. 10. Str.)

Justus Gesenius 1646

388. Wo Gott der Herr nicht bei uns hält. (B. A. 39. N° 5.)

Jos. Klug G. B. 1535.

Wär' Gott nicht mit uns die_se Zeit, so soll I_sra_el sa_gen:
wär' Gott nicht mit uns die_se Zeit, wir hät_ten musst ver_za_gen,

die so ein ar_mes Häuf_lein sind, ver_acht' vor so viel

Men_schen_kind, die an uns se_tzen Al_____le.
(3 Str.)

M. Luther 1524.

389. Wo Gott zum Haus nicht gibt sein' Gunst. (Ps. 127.)
(B. A. 39. N° 185.)

Jos. Klug G. B. 1535.

Wo Gott zum Haus nicht gibt sein' Gunst, so ar_beit' je_der Mann umsonst: wo

Gott die Stadt nicht selbst be_wacht, da ist um_sonst der Wächter Macht.
(3 Str.)

? Johann Kolross 1525.